VOCÊ É
DO TAMANHO
DOS SEUS
SONHOS

César Souza

VOCÊ É DO TAMANHO DOS SEUS SONHOS

Um passo-a-passo para fazer acontecer e ter sucesso no trabalho e na vida pessoal

3ª reimpressão

Cinthya Almeida
22/03/10.

A
NEGÓCIOS

Capa
Douglas Lucas

Projeto Gráfico e diagramação
Julio Moreira

Copidesque
Argemiro de Figueiredo

Revisão
Roberto Ramos
Soraya Araujo

Produção editorial
Paulo Cesar Veiga

CIP-BRASIL. CATALOGAÇÃO-NA-FONTE
SINDICATO NACIONAL DOS EDITORES DE LIVROS, RJ

S713v

Souza, César
Você é do tamanho dos seus sonhos : um passo-a-passo para fazer acontecer e ter sucesso no trabalho e na vida pessoal / César Souza. - Rio de Janeiro : Agir, 2009.

Inclui bibliografia
ISBN 978-85-220-1013-4

1. Auto-realização. 2. Sucesso. 3. Carreira. 4. Empreendedorismo. I. Título.

09-0703. CDD: 158.1
CDU: 159.947

Uma empresa Ediouro Publicações Ltda.

Rua Nova Jerusalém, 345 – Bonsucesso
Rio de Janeiro – RJ – CEP 21042-235
Tel.: (21) 3882-8200 – Fax: (21) 3882-8212 / 3882-8313
www.ediouro.com.br

A meus filhos

Thomas, Júlia e Yasmim

cujos sonhos determinarão

o real tamanho de suas vidas.

PREFÁCIO

"Estava desanimado, frustrado no trabalho e chateado na vida familiar. Meus sonhos de jovem viraram pesadelos na idade adulta — aos 35 anos, o cenário era o de divórcio iminente, prestações impagáveis da casa própria e um chefe insuportável para aturar em uma burocrática empresa multinacional. Ganhei de um colega o seu livro Você é do tamanho dos seus sonhos, *refleti muito e comecei a vislumbrar algo diferente do que estava acostumado. Confesso que suas provocações me incomodaram um pouco. Mas acordei e decidi ir à luta, abrir meu próprio negócio, meu sonho arquivado há anos, uma pequena confecção. Preparei-me durante dezoito meses. Hoje completo o primeiro ano do meu negócio. Estou feliz, me reencontrei. Minha mulher tornou-se minha sócia e toma conta da parte comercial e financeira do nosso empreendimento. Escrevo este e-mail para agradecer-lhe, pois o livro me ajudou a assumir as rédeas do meu destino."*

Foram mensagens como essa, enviada por um leitor da cidade de Campinas, interior de São Paulo, que me animaram a escrever esta nova versão do livro, originalmente publicado em maio de 2003.

De lá para cá, fui convidado pelos presidentes de 78 das 500 maiores empresas do país, para falar na abertura ou no encerramento das suas convenções anuais. Sempre com o mesmo objetivo: estimular seus funcionários a pensar grande, a sonhar, a fazer dos seus sonhos parte integrante do sonho coletivo das empresas onde trabalham.

Além disso, as idéias sobre "como transformar sonhos em realidade" foram apresentadas para quase 200 mil pessoas: em uma siderúrgica de Minas Gerais, falei para 8 mil funcionários, do porteiro ao presidente da usina; em uma empresa automotiva, foram 6 mil participantes dentro do galpão da fábrica; 5 mil clientes preferenciais de uma grande rede varejista no Recife; 3 mil em Salvador e 2 mil em Aracaju assistiram a minha palestra; em uma grande empresa de software de São Paulo, foram mais de 4 mil tecnólogos; na comunidade de Santo Antônio de Jesus, interior da Bahia, quase 3 mil pessoas se acomodaram no gramado de um estádio de futebol para me ouvir contar as histórias dos realizadores de sonhos, desta vez na companhia de um personagem do livro, meu querido amigo Carlinhos de Jesus, que fez a cidade dançar até a madrugada.

Curiosamente, as palestras não se limitaram aos ambientes corporativos, incluindo os diversos grupos formados por diretores de centenas de empresas. Também tive a oportunidade de provocar a reflexão de oito pessoas com o mesmo sobrenome que me convidaram para conduzir uma reunião de família na Ilha da Madeira, no oceano Atlântico, perto de Portugal. Apresentei idéias para uma enorme multidão de *decasséguis* em Nagoya no Japão, e tive de repetir a palestra no dia seguinte para os que não conseguiram entrar no teatro. O denominador comum a tais situações é a mesma angústia: como tirar sonhos da cabeça e transformá-los em projetos factíveis.

Contabilizei quase 3 mil e-mails ou cartas recebidas como respostas dos leitores ao convite feito no Capítulo do Leitor, no final do livro, para que cada um passasse a ser co-autor, revelando sonhos, conquistas e dificuldades para transformá-los em realidade. Sempre afirmei em minhas palestras e entrevistas que o melhor do livro foi exatamente aquilo que não escrevi — esse capítulo com as quatro páginas em branco esperando o beijo do leitor que desejasse tirar os sonhos da cabeça e colocá-los no papel.

O primeiro a gente nunca esquece: "Desejo muito me dedicar a um projeto social vinculado à educação de crianças carentes dos bairros da periferia aqui do Recife", revelou o professor universitário que havia adquirido o livro na semana do seu lançamento no aeroporto de Congonhas, na capital paulista, enquanto aguardava o embarque para sua cidade natal.

Uma jovem interrompeu minha leitura dos jornais, em pleno vôo para Porto Alegre, pedindo que autografasse o livro com desejos de boa sorte para ela. "Não agüento mais trabalhar na contabilidade e tenho fé que vou conseguir trabalhar na área comercial de outra empresa", explicou a moça, que naquela tarde teria uma entrevista de seleção na filial gaúcha de uma empresa sediada em São Paulo. Ela estava sonhando com a mudança de emprego, o que a faria muito feliz.

Recordo-me, também, do carioca desempregado que buscava desesperadamente uma oportunidade, assim como da jovem baiana, que estudava intensamente para passar no vestibular e ingressar na faculdade e da empresária curitibana, que iniciava sua franquia cheia de esperanças. Um recém-aposentado capixaba que se recusava a colocar o pijama disse que estava recomeçando a vida aos 63 anos de idade ao compartilhar seu sonho comigo. Não consigo me esquecer daquele ex-gerente de manutenção na região do ABC paulista que, aos 48 anos, tinha optado pelo plano de demissão voluntária da montadora onde trabalhava há quase vinte anos e não sabia bem o que fazer em relação a seu futuro profissional. Contou-me que estava em dúvida entre procurar um novo emprego na indústria, abrir uma loja ou dar aulas de história, "minha verdadeira vocação", revelou, sem esconder um sorriso nos lábios e um brilho no olhar.

Confesso que o impacto do livro na vida de tanta gente me surpreendeu. As pessoas faziam questão de me revelar que pretendiam desengavetar sonhos antigos, encorajar filhos, filhas, pais ou sogros a reacenderem a chama do futuro; estimular a mulher ou o marido a dar a volta por cima e superar o desemprego, a doença, o vício, a adversidade.

Ainda me emociono quando relembro pelo menos cinco jovens casais, em diferentes ocasiões, que me pediram para dedicar o livro aos filhos ainda no ventre das mães. Espero que essas crianças já tenham ao menos soletrado as palavras de afeto com que antecipadamente saudei a futura chegada de cada um. Também ficaram gravadas as palavras daquele senhor de Belém do Pará, que me pediu para escrever uma mensagem que o estimulasse a continuar sonhando. "A gente só envelhece quando pára de sonhar", comentou, e em seguida arrematou: "ao ouvir sua palestra, meu coração batia como uma criança morrendo de vontade de pular corda!" Fui dormir feliz aquela noite no hotel em Belém, saboreando cada uma daquelas palavras.

Roubaram meu sonho. Devolva meu sonho!

Antes de liberar você para a leitura da Introdução, não posso deixar de contar um incidente que por pouco não interrompeu a trajetória deste livro. Aliás, esse incidente prova que nem sempre os sonhos fazem o seu caminho em linha reta e muitas vezes correm o risco de perecer antes de se tornarem realidade.

Voltemos ao dia 20 de abril de 2003, um domingo ensolarado na capital baiana.

"Roubaram meu sonho. Devolva meu sonho!" Foi o que gritei quando percebi que o vendedor de queijo coalho da praia de Itapuã tinha levado os originais da primeira versão deste livro, que eu acabara de revisar.

A bem da verdade, os originais foram levados inadvertidamente, dentro de um saco plástico, em que eu e Cristinna Patsch, que se tornaria minha mulher, havíamos guardado uma camiseta, sandálias havaianas, protetor solar e uma nota de cinqüenta reais.

Naquela manhã de domingo, depois de ter feito vários ajustes e correções no texto, sentado em uma barraca de praia por mais de quatro horas, resolvemos dar um rápido mergulho naquele mar azul, que parecia nos convidar para uma "saideira" antes de voltar para São Paulo, onde residimos. Deixamos o dito saco plástico em cima de uma pedra, coberto por uma toalha, e entramos na água.

Ao emergir do mergulho, percebi a toalha estendida sem o volume por baixo dela. Olhei ao redor e vi um rapaz andando muito rápido com o fogareiro do queijo coalho na mão direita e o saco plástico com os originais do livro, na esquerda.

Corremos na direção dele, gritando para que devolvesse o meu sonho. Ele ouviu, correu e entrou no mato. Vi dois outros rapazes, um deles bastante forte, agachados na areia perto do local onde o primeiro tinha entrado. Não se mexeram.

"Pode ser uma emboscada", gritou a Cris, ofegante, correndo logo atrás de mim. Puxei meu freio de mão mental, desacelerei. Parei. Um até que eu poderia enfrentar. Mas três, seria muito difícil e arriscado.

Passados cerca de quinze minutos, entramos no mato à procura do envelope com os papéis. Pensei: "Levou o dinheiro, a sandália e a camiseta, mas os papéis não servem para nada. Deve ter largado por aí." Não encontramos nada!

O incidente estragou o domingo, que estava sendo bastante agradável até aquele momento. Só me recuperei no dia seguinte, quando superei o fato e comecei a refletir sobre o seu significado.

Diversos sentimentos se alternavam no meu íntimo. Deveria ter ido atrás do cara? Fiz bem em ter parado? Vale a pena morrer por um sonho? Ou devemos viver pelos nossos sonhos e jamais morrer por eles? — como disse meu saudoso amigo Luís Carlos Campos.

Cheguei à conclusão de que não existe resposta universal. Cabe a cada um julgar por quais sonhos ou causas vale a pena arriscar a própria vida, se necessário.

Mas temos de separar o sonho do objeto do sonho. Separar o desejo do objeto do desejo. As folhas digitadas eram "apenas" um objeto. O sonho continuava dentro de mim. Meu sonho não tinha sido roubado!

O rapaz levara "apenas" um maço de folhas digitadas e algumas correções que eu seria obrigado a fazer novamente. Os originais, afinal de contas, estavam em meu laptop e no computador da jornalista Cristina Nabuco, a quem aproveito para agradecer pela dedicação, apoio e idéias que me ajudaram a manter o foco ao longo do preparo do livro desde que era uma vaga idéia. Ela continua me ajudando nesta nova versão.

Sem esse incidente talvez demorasse muito mais tempo para entender como um sonho nos pertence, mesmo quando o objeto do sonho nos é tirado. Senti-me bem melhor por ter transformado uma situação muito desagradável em uma inesperada oportunidade de aprendizagem, razão pela qual resolvi compartilhá-la com você.

Sonho renovado

Agora, quase seis anos depois, encontro-me revisando este prefácio à nova edição do livro, mais uma vez à beira do mar. Só que desta vez na Bahia, na Praia do Forte, um resort ecológico localizado a cerca de 40 km de Salvador.

Também posso afirmar que já tive e concretizei muitos sonhos. Mas um em especial me entusiasma neste momento: que esta nova edição continue estimulando cada leitor a voltar a acreditar em seus sonhos e a transformá-los em projetos viáveis. Espero que meu leitor sinta-se feliz, não só quando alcançar a meta final, mas ao longo da travessia, da luta para transformar sonhos em realidade, pelejando para inventar o seu futuro.

Tenho a sensação de que a melhor forma de comemorar o meu aniversário, que festejo nesta data, é presentear você, leitor, com esta nova edição revisada e ampliada do livro *Você é do tamanho dos seus sonhos*.

César Souza
cesarsouza@empreenda.net
Praia do Forte, 4 de fevereiro de 2009

SUMÁRIO

INTRODUÇÃO

ACORDE PARA SONHAR!

Eleve-se alto ao céu
Com seus pés no chão

Eleve-se alto ao céu,
versão de Gilberto Gil

Todos nós temos sonhos — ou já tivemos um dia, antes de sermos consumidos pela rotina, sufocados pelo peso dos afazeres diários: ter sucesso na profissão, encontrar um amor, ter filhos e garantir um futuro melhor para eles, ganhar dinheiro, comprar a casa própria, viajar, conhecer lugares, engajar-se em uma causa social ou ecológica, trabalhar pela comunidade, mudar o mundo, ter uma vida melhor e equilibrada nas suas diferentes dimensões — com saúde e amigos. Enfim, ser feliz!

E o que aconteceu? Quantos de nós hoje moram onde não querem, fazem o que não gostam, agüentam o trabalho em uma empresa com a qual não se identificam, não se relacionam bem com o companheiro (ou companheira), convivem pouco com os filhos, equilibram-se numa corda bamba, com um salário que mal dá para cobrir as despesas.

Outros tantos talvez tenham cultivado sonhos que viraram pesadelos. Estão decepcionados com o trabalho, afundados em prestações do carro, acuados com a violência na vizinhança, atolados em dívidas no cartão de crédito, desgastados com a ginástica no orçamento para manter as aparências.

Muitos vivem numa duplicidade insustentável, divididos entre a estabilidade e a descoberta do novo. De um lado, o desejo da segurança e do conforto de ter emprego fixo, ser casado, ter filhos, desfrutar um mês de férias por ano, seguro-saúde e plano de previdência e de viver situações previsíveis e sob controle. Do outro, o sonho de fugir da mesmice e de experimentar situações que abram horizontes, mesmo que incertos, enfim, a vontade de "chutar o pau da barraca".

Poucos conseguem achar a síntese desse aparente paradoxo. A solução não está em simplesmente abandonar o emprego, sair da cidade, divorciar-se, largar tudo. A tão sonhada aventura, o novo, pode emergir da sua própria capacidade de se renovar de forma contínua. O novo pode ser o resgate de sonhos arquivados na sua alma e passíveis de ser realizados por meio de parcerias inovadoras com seu atual empregador ou até mesmo com sua família.

"Nosso dia a dia é apenas uma ilusão que esconde a realidade dos sonhos", diz um dos personagens do filme *Fitzcarraldo*, dirigido pelo alemão Werner Herzog. É a história de um sonhador disposto a erguer um teatro e inaugurá-lo com uma ópera em plena selva amazônica, no início do século XX.

Mergulhadas no ópio da rotina, as pessoas negligenciam seus sonhos e vão perdendo a capacidade de sonhar. Levam suas vidas sem direção, sobrecarregadas e insatisfeitas, escravas de construções burocráticas, na ilusão de que um dia tudo mude se ganharem na loteria, se o marido parar de fumar, se a esposa deixar fazer isso ou aquilo, se o chefe concordar, se Deus ajudar...

Você, leitor, já imaginou como será sua vida dentro de alguns anos? Acordará ao lado da pessoa amada? Sairá de casa para trabalhar onde deseja? Estará ajudando sua empresa a atingir os objetivos esperados? Estará fazendo o que gosta? Morando onde quer? Convivendo com amigos de verdade?

Se não houver ações claras e direcionadas da sua parte, não se iluda: tudo pode continuar exatamente do jeito que está.

Realizar sonhos não é obra do acaso. Requer gestos conscientes. Muita disciplina e determinação. Além de uma boa pitada de sorte: estar preparado, no lugar certo e na hora certa. Repito, preparado, pois muitos não conseguem ter sorte, pois não estavam prontos para desfrutar a "sorte" na hora em que as circunstâncias poderiam favorecê-los.

Este livro foi idealizado para ajudá-lo a resgatar a capacidade de sonhar com os olhos abertos e a empreender mudanças objetivas para a concretização de seus projetos. Apresenta um passo-a-passo que lhe possibilita tirar os sonhos da cabeça, colocá-los no papel e torná-los realidade.

Isto certamente com base em ações que exigirão bastante suor, apoio de familiares, amigos e parceiros, sem contar uma boa dose de coragem e ousadia de sua parte para sair da "zona de conforto" e enfrentar as oportunidades capazes de provocar uma bela reviravolta na sua vida profissional e pessoal.

Os realizadores de sonhos apresentados neste livro agem dessa maneira: planejam cada passo que os conduzirá a seus objetivos e lutam tenazmente por eles. Lideram empresas vencedoras como Embraer, Natura, Amil, Magazine Luiza, Odebrecht, Martins, Marco Pólo, Solví, Grupo Cornélio Brennand, Unimed Seguros e várias outras que são frutos de sonhos bem sonhados. Mas isso não é privilégio apenas de grandes empresas. Centenas de pequenos e médios empreendimentos também são frutos de sonhos bem executados. Por sinal, este é o denominador comum na carreira de artistas e celebridades, como Fernanda Montenegro e Carlinhos de Jesus, e na história de empreendedores sociais, como dra. Zilda Arns, da Pastoral da Criança, e Rodrigo Baggio, do Comitê para a Democratização da Informática (CDI).

Anônimos ou pessoas menos conhecidas também sonham com os olhos bem abertos. Aldaci dos Santos queria deixar de ser empregada doméstica e montar um restaurante em Salvador. Transformou-se na Dadá, uma artista culinária reverenciada por todos os que se deliciam com suas receitas. Ela é dona de um sorriso contagiante e de uma das marcas mais reconhecidas na Bahia. José Roberto

Caldas Pinto, o Zé Pescador, sonhou em montar uma ONG ecológica, a Pró-Mar, e continua dando verdadeiras lições de empreendedorismo social na Ilha de Itaparica, na Bahia. Dilma Abidias sonhava em ter sua casa própria e após muito pelejar, resolveu montar sua barraca na badalada praia de Ipanema, no Rio de Janeiro. Inovou ao alugar protetor solar, bronzeadores e óculos escuros. Dona de um espírito empreendedor, simples e intuitiva, tornou-se tão conhecida quanto as estrelas que freqüentam aquela praia.

Sonhos movem o mundo

Se analisarmos em profundidade a origem dos movimentos sociais no mundo, das grandes descobertas científicas, das obras de arte, das invenções revolucionárias e das criações das grandes empresas, vamos descobrir que em geral estão relacionadas ao sonho de um pioneiro, um empreendedor, um artista, um cientista. As grandes realizações são fruto do sonho de alguém. O mundo é movido a sonhos!

Personalidades históricas e políticas como os dois JKs — John Kennedy e Juscelino Kubitscheck —, Nelson Mandela, Cristóvão Colombo, e, mais recentemente, o novo presidente norte-americano, Barack Obama — esperamos que não decepcione a enorme esperança nele depositada —, são exemplos de personagens taxados de visionários por acreditarem em seus sonhos. Todos traçaram planos para realizá-los. Superaram obstáculos e com muita determinação mudaram a história do seu tempo. Um conquistou a América e construiu a primeira cidade do Novo Mundo. O outro criou condições para a chegada do homem à Lua. "Um pequeno passo para um homem, mas um grande passo para a Humanidade." Você se lembra dessa célebre frase que marcou a descida do astronauta Neil Armstrong? Os demais também conseguiram transformar sonhos em realidade: o fim do *apartheid* na África do Sul, a construção de Brasília e a eleição do primeiro negro para ocupar o Salão Oval na Casa Branca, simbolizando o desejo de uma nova inserção dos Estados Unidos no conturbado cenário internacional do século XXI. Sonharam com a cabeça nas nuvens, mas com os pés muito bem plantados no chão. Sonharam acordados, com os olhos bem abertos!

Todos eles acreditaram e batalharam pelos seus sonhos, tema do próximo capítulo que tem como objetivo, caro leitor, encorajá-lo a fazer o mesmo.

1

LUTE PELOS SEUS SONHOS

Porque eu sou do
tamanho do que vejo
E não do tamanho da
minha altura...
E o que vejo
são meus sonhos

Alberto Caeiro
(heterônimo de Fernando Pessoa),
O guardador de rebanhos

O professor de química de um colégio estadual de Bauru, interior paulista, não poderia imaginar que numa de suas aulas começaria a brotar um sonho que deu origem a uma das empresas brasileiras de maior projeção mundial. No dia 23 de outubro de 1946, o professor Sérgio Castro lembrou o aniversário do vôo pioneiro de Alberto Santos Dumont. Ao terminar o relato, um de seus alunos, de quase 16 anos, perguntou: "Se tivemos um Santos Dumont e temos um país tão grande, por que o Brasil não fabrica aviões?" O adolescente era Ozires Silva, que em 1970 lideraria a fundação da Embraer, uma das maiores empresas brasileiras e uma das mais admiradas em vários lugares do mundo.

Ozires Silva praticava aeromodelismo. Tomando como base croquis norte-americanos, fazia pequenos modelos de aviões. Queria ser engenheiro aeronáutico. Mas não havia esse curso no Brasil, e os pais não tinham dinheiro para enviá-lo ao exterior. Ele conta no livro *A decolagem de um sonho*:

É curioso relembrar que, apesar de vidrados nos nossos sonhos, tínhamos alguma noção das dificuldades, mas mantínhamos vívida a crença de que um dia poderíamos participar dos esforços para torná-los realidade.

Aos 19 anos, decidiu entrar para a Força Aérea Brasileira, mas precisou vencer a resistência da mãe, que não aprovava a idéia de um filho aviador. Formou-se piloto da Aeronáutica. Serviu na Amazônia, trabalhou no Correio Aéreo Nacional, no Rio de Janeiro, e foi galgando postos na carreira militar. Até que em maio de 1958, um vôo mudou sua vida.

Ozires Silva foi acordado de madrugada para acompanhar o major Antenor Coelho de Souza, que cursava o Instituto Tecnológico de Aeronáutica (ITA), na cidade de São José dos Campos, em São Paulo. Durante as duas horas de vôo, fez muitas perguntas sobre o curso, e o major o surpreendeu dizendo que ele preenchia todas as condições para requerer ao Ministro da Aeronáutica a autorização para concorrer a uma vaga no Instituto. "Quase não acreditei no que ouvi", relembra ainda hoje, sem esconder a emoção.

O que ocorreu naquele momento é difícil descrever. Fiquei com a forte impressão de que tinha embarcado naquele avião como piloto e descido como engenheiro.

Sentia-me outra pessoa. Naquela noite, não consegui mais dormir. A excitação era quase incontrolável.

Outro grande passo foi dado quando Ozires conheceu o coronel Casemiro Montenegro Filho, um dos fundadores do ITA. O encontro de dois sonhos viabilizou a Embraer. Em setembro de 1964, o engenheiro aeronáutico Ozires Silva assumiu a chefia do Departamento de Aeronaves. Quatro anos depois, em outubro de 1968, sua equipe apresentava o protótipo do primeiro avião brasileiro, o Bandeirante.

A idéia era produzir um aparelho que pudesse ser vendido no Brasil e exportado para diferentes países. Eles sabiam que isso só seria possível se conseguissem fabricar uma aeronave que preenchesse competitivamente as demandas do mercado aeronáutico em termos de performance, confiabilidade, preço e assistência técnica. O sonho do adolescente de Bauru virava realidade. Em 1984, quase quinze anos após a fundação da Embraer, o Bandeirante já operava em 26 países.

Sonhos, a primeira etapa da estratégia

Ozires não desistiu de seus sonhos, mesmo depois de enfrentar obstáculos como ouvir o então presidente da

Cessna, na época um dos maiores fabricantes mundiais de aeronaves de pequeno e médio porte, chamar seu projeto de "burro". Em vez de ficar desestimulado, ele persistiu com determinação. Queria provar que o Brasil tinha condições de produzir um avião comercial totalmente nacional.

E, de fato, Ozires percebera uma oportunidade. Observou que os grandes jatos que começavam a ser utilizados não pousavam em cidades médias e pequenas do Brasil porque necessitavam de aeroportos com pistas maiores. Em 1958, o número de municípios brasileiros com tráfego aéreo era maior do que uma década depois.

Ozires ficava se perguntando: "Mas no futuro as cidades menores não contarão com o serviço de transporte aéreo?" Em 1965, ele decidiu transformar seu sonho em realidade e inicia o projeto IPD 6504 para construção da aeronave Bandeirante, responsável pela revolução da indústria aeronáutica brasileira.

> Pensei em criar um pequeno avião, robusto, capaz de operar em aeroportos típicos do interior e de transportar passageiros em número compatível com a geração de demanda das pequenas cidades.

Plantava, assim, a semente para o futuro da aviação regional, interligando cidades de porte médio, que encontrou amplo mercado em países de dimensões continentais, como os Estados Unidos.

A Embraer se consolidou embalada em pelo menos quatro grandes sonhos: o do precursor Santos Dumont, o de Casemiro Montenegro, o de Ozires Silva e o de Maurício Botelho, que assumiu a presidência da empresa em 1995, no momento em que foi privatizada, e liderou a sua transformação em uma empresa de nível mundial, colocando-a como a terceira maior empresa de aviação comercial do mundo, atrás apenas da Boeing e da Airbus.

Atualmente a Embraer é comandada por Frederico Curado, considerado verdadeiro "prata da casa". Fred, como é carinhosamente chamado pelos seus liderados, continua sonhando acordado, com os pés no chão, já visualizando a colocação da fabricante nacional de aeronaves em um novo patamar.

Quando a estratégia das empresas nasce de sonhos bem sonhados, as coisas tendem a dar certo. Ao contrário do que se supõe, planejamento estratégico não é apenas o resultado final de uma seqüência de eventos racionais e objetivos. Quando é assim, surge o fantasma da "resistência à mudança", quase sempre uma reação inevitável das pessoas à falta de atenção para com o seu lado emocional.

A realidade da estratégia das empresas vencedoras é muito diferente do que muita gente imagina. Somos levados a pensar que existe uma lógica por trás da estratégia: os diretores se reúnem, consultam as pesquisas mais atualizadas e confiáveis, definem a fatia de mercado a ser atendida, discutem as possibilidades e elaboram um plano de ação.

Vários casos de sucesso indicam que nem sempre é bem assim. As estratégias empresariais muitas vezes são fruto de um desejo pessoal transformado em sonho coletivo. O líder tem um sonho, transforma-o em um projeto, percebe necessidades de clientes potenciais, formula um modelo de negócio, busca aliados, expressa suas aspirações, luta bastante por elas, motiva parceiros, investidores e funcionários, e a empresa toda abraça a causa.

As estratégias vitoriosas são aquelas que conseguem realizar, de forma equilibrada, um tripé de sonhos: o do líder empreendedor, o dos clientes e o das equipes e parceiros.

A Sony se projetou no mercado internacional graças ao sonho e aos esforços de Akio Morita, seu legendário criador. Em 1963, esse empresário japonês mudou-se com a família para um apartamento na 5ª Avenida, em Nova York, onde viveu durante um ano. Queria vender para os americanos, e para tanto decidiu conhecer o modo de vida deles. Analisando os costumes do país, sonhou com o primeiro walkman, lançado em 1979. Falecido em 1999 aos 78 anos, Morita foi apontado pela revista *Time* como um dos 20 maiores homens de negócios dos Estados Unidos no século XX. Foi um sonhador comprometido com a causa de transformar o Japão em uma potência exportadora e obcecado com o perfeccionismo da tecnologia, o que acabou projetando a Sony no mundo.

Morita muito influenciou meu pensamento sobre estratégia, ao revelar, durante um encontro casual que tivemos em Davos, na Suíça, em 1988, que a estratégia da Sony foi impulsionada por um forte desejo pessoal. "Ainda hei de inundar o mercado europeu com os produtos da Sony", prometeu ele a si mesmo, após ter sido ridicularizado por um garçom de um restaurante em Amsterdã.

A Construtora Norberto Odebrecht, onde trabalhei por mais de vinte anos na condição de responsável pelo desenvolvimento de novos negócios, atuava na América Latina, África e Europa. Mas sempre acreditei que ela só seria respeitada como empresa internacional se conquistasse o mercado americano. Apostei nessa idéia e assumi o risco. Convenci os principais acionistas a me enviarem para lá de modo que eu pudesse detectar as oportunidades. A primeira apareceu em 1990. Quando deixei a organização em 2000, ela contabilizava 1.200 colaboradores em território americano, onde, em dez anos, construiu diversas estradas, pontes, barragem para controle de inundação e ampliou o aeroporto de Miami. A empresa "fez a América", conquistando seu lugar ao sol no disputado mercado americano e consolidando sua imagem de empresa internacional.

Os exemplos da Embraer, da Sony e da Odebrecht ilustram bem como o desejo de uma pessoa pode se transformar em poderosa alavanca para converter sonhos em realidade. O sonho é a primeira etapa tanto para a estratégia de uma empresa quanto para a carreira de uma pessoa como você, leitor.

Mas cabe aqui uma constatação muito importante: sonhar é necessário, mas não é suficiente. Uma vez definido o sonho, a visão de onde se quer chegar, o passo seguinte consiste em fazer escolhas para atingi-lo. Estratégia exige a coragem de dizer *não*.

Aprendi isso logo cedo na vida com Josias Aguiar de Souza, meu saudoso pai. Na década de 1950, antes de freqüentar qualquer banco escolar e já com bem mais de 20 anos de idade, ele resolveu aprender inglês em curso por correspondência, por notar que na loja A Lâmpada, em Salvador, onde trabalhava como balconista, apareciam muitos marinheiros norte-americanos desembarcados de navios que faziam escala técnica na capital baiana. Na época, ele ainda nem era alfabetizado em português.

Meu pai sonhava em ser vendedor e percebera que só teria essa oportunidade caso se diferenciasse dos outros. Eu me lembro até hoje, quando literalmente ainda engatinhava, da vitrola tocando lá em casa as lições em discos de 75 rpm com frases como *"this is a pencil"* ou "*the book is on the table*" e o "velho" Josias repetindo cada frase entusiasticamente. Aprender inglês foi um instrumento para dar um importante passo em direção aos sonhos dele. Mais tarde, tornou-se gerente de vendas em conhecida revendedora de automóveis.

A resposta para nossos desafios não reside em técnicas, nem em currículos enfeitados, mas em atitudes perante a vida.

Revelações inesperadas dos presidentes de empresas

Reunir presidentes de empresas para falar sobre sonhos. A idéia aparentemente insólita começou a se delinear em meados de 2001. Uma das maiores demandas dos profissionais de Recursos Humanos (RH) sempre foi que o topo das empresas se envolvesse mais com a gestão de pessoas. Na opinião deles, os líderes pareciam só dar importância à parte comercial, financeira ou política da vida organizacional. Minha experiência mostrava que não era bem assim. Que visão estaria mais próxima da realidade?

Ao trocar idéias com Luiz Edmundo Rosas, profissional que sempre se destacou na comunidade de RH, pelo seu trabalho como vice-presidente dessa área em pelo menos três grandes empresas, decidimos criar o I Fórum dos Presidentes, um evento que seria parte integrante do 27º Congresso Nacional de Recursos Humanos, para o qual eu havia sido convidado como coordenador com a missão de revitalizá-lo. Embora o encontro tivesse âmbito nacional, até então era restrito aos profissionais da área. Abraçamos entusiasticamente a idéia e criamos o fórum de presidentes, tendo como inspiradores e apoiadores o principal executivo do Grupo Accor, Firmin António, e um dos presidentes da Natura, Guilherme Leal.

Enviamos 100 cartas-convite a presidentes de grandes empresas brasileiras, na expectativa de atrair 20 ou, no máximo, 30 deles. Na semana seguinte, 50 confirmaram a participação. Em mais uma semana, eram 100 inscritos. A procura foi tanta que houve até lista de espera. O evento reuniu 137 líderes empresariais para debater: *O que tira o sono dos presidentes?* O envolvimento direto dos líderes na gestão de pessoas foi bastante discutido no fórum, que obteve sucesso de público e de idéias. Mostrou que os presidentes de empresas, ao contrário do que se pensa, são pessoas sensíveis, humanistas, visionárias. E valorizam a gestão de talentos.

Em 2002, repetimos a dose, desta vez com ousadia ainda maior. A segunda versão do Fórum dos Presidentes, enriquecida por José Luciano Penido, que era o presidente da Samarco, abordou: *Que sonhos farão a diferença?* O sonho toca na parte intangível das empresas. Havia uma impressão de que o assunto poderia afugentar presidentes mais acostumados à discussão de temas mais palpáveis. Ocorreu exatamente o contrário. Os líderes empresariais demonstraram alto interesse e participaram intensamente das discussões. A resposta de um dos presentes à pergunta sobre qual era seu maior pesadelo foi aclamada como consenso: "O maior pesadelo é perder a capacidade de sonhar, é não ter mais sonhos."

O evento foi precedido de uma pesquisa do Monitor Group, em parceria com a Associação Brasileira de Recursos Humanos (ABRH). Os 85 empresários inscritos receberam um questionário com nove perguntas sobre seus sonhos para a empresa, para o Brasil e para sua vida pessoal.

Aumentar a rentabilidade do negócio, estabelecer um modelo de gestão de sucesso e ser reconhecida pela qualidade de seus produtos ou serviços foram os sonhos mais destacados pelos presidentes *para suas empresas*.

Entre os sonhos para o Brasil revelados no II Fórum dos Presidentes, destacaram-se: desenvolvimento sustentável, diminuição da desigualdade social e melhoria da educação.

Finalmente, no que se refere à *vida pessoal*, de longe o sonho mais citado foi conseguir equilibrar trabalho e vida pessoal. Em seguida, com uma pequena margem de diferença, vieram: investir mais na própria saúde e qualidade de vida, seguido de garantir o futuro dos filhos.

Mas a grande revelação veio quando todos os sonhos foram postos na balança: 47% dos presidentes elegeram como prioridade os sonhos para a vida pessoal, 38%, os sonhos para o Brasil e apenas 15% escolheram os sonhos para sua empresa. Em resumo, a principal mensagem que ficou foi: "Só posso construir uma empresa feliz e competitiva se eu também for feliz."

O maior incentivo para que esses líderes empresariais continuem sonhando reside na esperança de transformar o meio em que atuam. Eles compartilham a crença de que sonhar é essencial para se manterem motivados.

Apontam a capacidade de sonhar, aliada ao desejo e à determinação por resultados, como a força motriz do sucesso empresarial. E mais: o relatório produzido em conjunto pelos participantes do II Fórum de Presidentes enfatizou que "os sonhos vão determinar as metas e as aspirações de uma empresa. Sem sonhos as empresas não evoluem!"

Se até os presidentes de empresas sonham e lutam pelos seus sonhos, por que você, leitor, também não pode sonhar e lutar para transformá-los em realidade?

Os sonhos podem ter um papel decisivo em nossa história individual. Costuma-se dizer que o que somos hoje é o resultado de nossas experiências passadas. Porém, de acordo com Michael Jensen, professor-emérito da Harvard Business School e sócio do Monitor Group, nos Estados Unidos, "o que somos hoje e o que seremos amanhã se relacionam com o que há em nosso futuro". Quem já sentiu aquela angústia no fim das férias ou no domingo à noite, ao começar a arrumar as coisas para a volta ao trabalho no dia seguinte, sabe a que o professor se refere.

Superando eventuais traumas de nosso passado, que podem se tornar obstáculos à nossa frente, temos a possibilidade de colocar o que quisermos no nosso futuro, inclusive um sonho. Não somos obrigados a aceitar o que o destino nos reserva. Podemos decidir fazer escolhas e inventar nosso futuro.

Cabeça nas nuvens, mas pés no chão

Acredite em seus sonhos, mas sonhe acordado, com os olhos bem abertos, de preferência com a cabeça nas nuvens e com os pés no chão. O sonho é a nossa metáfora para o sentido da realização pessoal, do desejo. Da vontade de inventar o futuro — e não de apenas tentar adivinhá-lo.

A cabeça nas nuvens nos permite fugir do lugar-comum, ver além do horizonte e encontrar alternativas inovadoras, soluções impensadas. Por isso, ser chamado de "louco" é um denominador comum na biografia de vários realizadores de sonhos.

Mas não estou sugerindo planos mirabolantes que poderiam fazer do leitor um autor de obras inacabadas e de empreitadas malsucedidas. Nem proponho a megalomania como atitude perante a vida. A propósito, sempre gosto de dizer que cada um é do tamanho de seus sonhos, mas que "a fita métrica" é individual. Só a pessoa pode avaliar o verdadeiro tamanho do seu sonho. O que pode parecer um "sonho pequeno" para você talvez signifique muito para a minha vida. E vice-versa.

Então, atenção, não saia por aí medindo os sonhos dos outros. Procure definir, com clareza, os seus! Lembre-se sempre: a fita métrica dos sonhos está dentro de cada um.

Existe, ainda, a contrapartida: esse sonhar precisa ser focado, factível, mesmo que ambicioso e ousado. É um sonho que renova, mobiliza, compromete, estimula a pensar e a agir. Pés no chão!

Mais um detalhe: não existe mágica. O fato de sonhar, por si só, não garante nada. É preciso transformar desejos em projetos e estes em ações concretas.

Sem uma estratégia consciente, nada se produz. Quando se adota a postura de manter a cabeça e os pés nas nuvens, o resultado é um delírio e não se chega a lugar algum.

Outro equívoco é fazer uma inversão: ter a cabeça no chão e os pés nas nuvens: querer curtir a vida sem estratégia e sair gastando a torto e a direito, sem planejar. Não é o que estou propondo. O sonho produtivo passa longe de devaneio, capricho infantil, fantasia e tudo que fuja à realidade.

Há, porém, uma postura ainda pior: ter a cabeça e os pés no chão. Infelizmente, boa parte das pessoas está assim, estática! Empresas adotam tal postura quando, no intuito de reduzir gastos, optam por fazer economias tolas: cortam cafezinho, clipes... Ou alimentam os tipos controladores, que vigiam rigorosamente a hora de entrada e saída dos funcionários. Em épocas de crise, então, os pessimistas de plantão sempre acham que "é hora de cair na real e parar de sonhar", enterrando a cabeça no chão. Grande engano, pois é nesse momento quando mais se precisa de criatividade e ousadia para encontrar o caminho da superação das adversidades. O resultado, quando se proíbe as pessoas de sonhar, é uma paralisia generalizada, em que dificilmente se cultivam alternativas. As pessoas ficam sem estratégia e numa camisa-de-força.

Muita gente se dedica à profissão à custa da felicidade pessoal. Talvez o leitor argumente: depois do expediente, é possível correr atrás do prejuízo. Mas o sonho não deve ser apenas um hobby, um apêndice na vida. É uma ilusão achar que felicidade, assim como qualidade de vida, são alcançados fora do trabalho, malhando na academia, bebendo no happy hour, compensando a infelicidade diária com paliativos, karaokês noturnos e churrascos no fim de semana.

Não basta sonhar fora do escritório, ser feliz só após as 18 horas. É necessário achar seu sonho no trabalho. Se for preciso, altere a forma de desempenhar suas funções. Mude de cargo, ou, se não tiver jeito, troque de empresa.

Você com certeza já percebeu que os espaços empresa e trabalho já não são mais delimitados como no passado, no tempo em que ainda era possível deixar a vida profissional do lado de fora da casa. Com celular e a Internet, um espaço invade o outro. A vida profissional e a pessoal se confundem 24 horas por dia. Portanto, é importante conciliar as duas esferas, integrá-las e obter satisfação em ambas.

Você também já desconfia que o sonho não é sinônimo de ilusão, obsessão, fixação. Aos 8 anos, a menina talvez pretendesse ser a primeira bailarina do Municipal. Aos 35, esse objetivo pode ter se tornado impossível. E, ainda que fosse viável, não existe a obrigação de realizar seu sonho de criança — a menos que ainda valha a pena para o adulto que se é hoje.

O sonho não é uma camisa-de-força. Não é estático, mas dinâmico. Pode ser comparado a um alvo móvel. As circunstâncias mudam, os desejos também.

O apego exagerado a um sonho faz perder a oportunidade de concretizar outros. O grande perigo é não realizar esse e nenhum outro, morrendo apegado à idéia de como sua vida poderia ter sido e não foi.

Em vez de passar a vida amarrado a um único sonho, escolha objetivos múltiplos. Tenha um alvo para a vida pessoal, para a família, outro para a empresa, mais um para a comunidade. Diferentes aspirações podem conviver em paz, sem desperdício de energia, desde que você se organize.

Ninguém pode sonhar por você. Com certeza o leitor conhece alguém cujo pai sonhava ser advogado, mas não teve oportunidade de realizar esse desejo, e o filho cursou Direito para corresponder à expectativa da família. Este enredo predispõe a um final infeliz.

O sonho é um projeto pessoal, mas as outras pessoas são fundamentais para alcançá-lo. Ninguém o realiza sozinho. Walt Disney afirmou certa vez: "Você pode sonhar, projetar, criar e construir o lugar mais maravilhoso do mundo. Mas precisará de pessoas para tornar o sonho realidade." A grande realização de Walt Disney não foi o Mickey ou a Branca de Neve. Seu ato mais genial foi ter moldado uma organização capaz de "dar vida" a esses e tantos outros personagens.

Meu conterrâneo Raul Seixas, em sua simplicidade desconcertante, também refletiu sobre o valor da sinergia e, em parceria com Paulo Coelho, compôs *Prelúdio*, uma música que diz: "Sonho que se sonha só/ É só um sonho que se sonha só/ Mas sonho que se sonha junto é realidade."

Nesta sociedade viciada em competências técnicas, achamos que somos reconhecidos por nossas habilidades. Entramos em escolas para aprender modelos macro-econométricos, técnicas de recrutamento e seleção de pessoas, pesquisas de mercado sofisticadas, fluxos de caixa descontados e obtemos doutorado em metodologia disso e daquilo.

Achamos que o sonho é fazer um mestrado, ter um MBA, dominar o computador, fazer modelagens da realidade em linguagem virtual ou simplesmente ganhar dinheiro. Esses são apenas instrumentos para chegar lá.

Devemos parar de desperdiçar nosso tempo em somar habilidades, encher o currículo de competências. A habilidade suprema, agora, é ter um plano factível que viabilize a realização de nossos sonhos. Devemos ser reconhecidos pelas escolhas que fazemos dos nossos sonhos.

Em vez de "apenas" buscar sobreviver na dura realidade que nos cerca, tentando adivinhar o futuro, invente o futuro. Exatamente como fez Ozires Silva, cujo sonho foi a primeira etapa da estratégia do que viria a ser a Embraer. E Akio Morita, que fundou a Sony em circunstâncias adversas, sonhando literalmente nos escombros de um prédio semidestruído pelo bombardeio no final da Segunda Guerra Mundial. Sonhar é inventar o futuro!

Sonhar com os olhos abertos é muito mais. Diz respeito às escolhas que fazemos: onde quero estar, o negócio ao qual vou me dedicar, os clientes que pretendo atender, o lugar onde quero morar, a educação que desejo para meus filhos, os amigos que planejo ter, a causa que vou abraçar.

Sonhar é inventar o futuro

Você já deve ter se flagrado especulando sobre o que poderá acontecer no futuro. Como estará a economia mundial, o ritmo de crescimento do nosso país, as taxas de câmbio, juros e a inflação? Como será o próximo governo? E seu emprego, estará garantido?

No final de cada ano, então, ficamos mais empenhados em fazer previsões e em elaborar aquelas famosas listas de coisas que gostaríamos de realizar no ano seguinte. Mas passados os festejos do Ano Novo tendemos a entrar na rotina, na labuta do dia a dia. O que continua são os exercícios de futurologia. A cada acontecimento inesperado, as previsões anteriores são desfeitas e novas especulações recomeçam. Investimos muito tempo tentando adivinhar o futuro.

Contudo, o papel que precisamos desempenhar como líderes de nossas vidas não é o de adivinhar o futuro. Precisamos, isso sim, inventar o futuro que desejamos para nossas vidas. A melhor forma de adivinhar o futuro é procurar inventá-lo.

Sonhar acordado — e não quando estamos dormindo — é inventar o futuro. Precisamos acreditar em nossos sonhos e lutar por eles. Sonhar com os olhos abertos, com a cabeça nas nuvens e com os pés no chão.

Que tal começar a inventar o seu futuro já? Para isso, convido você a fazer o exercício a seguir, listando alguns sonhos que você teve no passado.

1. Aos 7 anos, sonhei com:

....

....

....

....

....

....

....

....

....

....

Exemplo: Ser médico; ser a primeira bailarina no Teatro Municipal; ser jogador de futebol; ser um cientista e descobrir a cura do câncer etc.

2. Aos 18 anos, sonhava com:

....

....

....

....

....

....

....

....

....

Exemplo: Encontrar um amor; morar no exterior; me formar em Engenharia; morar sozinho etc.

3. Liste alguns sonhos que você gostaria de realizar a partir de hoje.

....

....

....

....

....

....

....

....

....

Exemplo: Começar um negócio próprio e deixar de ser empregado; ter o primeiro filho; me divorciar; comprar uma casa na praia; contribuir com uma causa social.

2

TRACE O **SEU MAPA** DE SONHOS

De tudo, ficaram três coisas:
a certeza de que ele estava
sempre começando, a certeza de
que era preciso continuar
e a certeza de que seria
interrompido antes de terminar.
Fazer da interrupção um
caminho novo. Fazer da queda
um passo de dança, do
medo uma escada, do sonho uma
ponte, da procura um encontro.

Fernando Sabino,
O encontro marcado (1956)

Um futuro justo, no qual as populações ribeirinhas não terão mais que enfrentar o sofrimento causado pelas cheias do Amazonas e afluentes, a inundação de suas terras, a fome, as doenças e a hipocrisia dos políticos. Este é um dos sonhos de Ronilson da Silva Procópio, aluno de uma escola pública em Benjamin Constant, interior do Amazonas. Enquanto freqüentava a 5ª série, em 2003, ele ganhou o prêmio "Escrevendo o Futuro", instituído pelo Banco Itaú. "Que futuro nós, filhos desses trabalhadores, esperamos? Pois somos julgados pelo que nós temos e não por sermos pessoas inteligentes", escreveu na redação vencedora, lida no dia da premiação pela escritora Lygia Fagundes Telles. Um momento de profunda emoção para Ronilson, que realizou um dos seus inúmeros sonhos.

Mudar o mundo, descobrir a cura de uma doença, lutar pela paz, acabar com a fome no país. Sonhos de grande repercussão social podem se transformar na razão de uma vida. Mas não são as únicas possibilidades. Há vários outros tipos de sonhos, bem mais elementares. Poder usar produtos básicos como molho de tomate, sabonete, desodorante e amaciante de roupas ainda constitui o sonho de consumo de milhões de brasileiros.

Morar em casa própria, desfrutar de um seguro-saúde e ser reconhecido pelo trabalho que realiza são também aspirações comuns a muita gente.

O tipo de sonho que uma pessoa cultiva está diretamente ligado às suas necessidades, como demonstrou Abraham Maslow, cientista norte-americano famoso na década de 1950 pela sua teoria da hierarquia da motivação humana.

Mapa de sonhos

Inspirados nas idéias de Maslow, podemos, então, construir um verdadeiro "mapa de sonhos", que contemple pelo menos seis aspectos da nossa vida:

- Trabalho e Realização Profissional
- Vida Familiar
- Vida Comunitária
- Cidadania no País e no Mundo
- Qualidade de Vida, Saúde, Desenvolvimento Espiritual (que eu chamarei aqui de *sonhos íntimos*)
- Realização Financeira

Vamos refletir um pouco sobre esse mapa de sonhos e também sobre o *sonho empreendedor*, de montar um negócio próprio. Além disso, pretendo abordar situações atualmente confundidas com sonhos, entre elas os desejos mais fugazes, como o de virar *uma celebridade instantânea* e a *compulsão consumista*, que faz muita gente supor que basta adquirir determinados bens para alcançar a felicidade ou a tão alardeada qualidade de vida.

Sonhos no trabalho e realização profissional

Ter uma profissão, dedicar-se a ela, fazer o que gosta. Ser valorizado pela empresa onde trabalha. Ter o emprego ideal. Ser respeitado e bem cotado no mercado. Tornar-se um médico admirado, uma secretária reconhecida, um projetista renomado, ser referência naquilo que faz. Ganhar prêmios. Fazer negócios, participar de avanços científicos que favoreçam a cura de doenças, desenvolver uma nova teoria, compor músicas de sucesso, virar escritor, produzir peças de teatro e filmes, enfim, fazer contribuições importantes no nosso campo de especialidade. Estas são algumas possibilidades de sonho referentes à carreira.

Um belo exemplo de sonho profissional fora do tradicional mundo corporativo foi dado pelo biólogo José Marcio Ayres, um dos cientistas brasileiros mais respeitados internacionalmente e premiado na área de conservação da biodiversidade. Ayres faleceu em virtude de um câncer no pulmão. Nos anos 1980, verificou que as matas de várzea do Mamirauá, na região do médio Solimões, Amazônia, eram foco de ameaças ambientais que colocavam em risco de extinção o macaco uacari-branco, alvo de suas pesquisas.

Graças ao empenho desse biólogo, o governo do Amazonas criou duas reservas de desenvolvimento sustentável, as de Mamirauá e Amanã, que juntas abrigam mais de três milhões de hectares de floresta tropical protegida. A medida mais original de Ayres foi inventar um sistema de gestão participativa, que inclui a população local no manejo e vigilância dos próprios recursos. As reservas foram divididas em áreas diferentes: uma para a pesca de subsistência, e a outra para exploração comercial.

"Quando entro no barco e estou viajando pelo Mamirauá, eu me sinto em casa. É um dos meus maiores prazeres estar nesta floresta. É aqui, basicamente, que está o trabalho de toda a minha vida", disse este pioneiro. Durante vários anos seus esforços contribuíram para uma significativa redução da mortalidade infantil na área da reserva.

Já no mundo corporativo, os sonhos têm mudado muito. Foi-se o tempo em que os talentos eram incondicionalmente leais à empresa. Hoje, são mais fiéis à profissão, comprometidos consigo próprios. Resistem à tentação de engaiolar seu futuro em troca da pretensa estabilidade de um emprego. As estratégias de carreiras que foram vitoriosas na maior parte do século XX não oferecem mais garantia de sucesso. As pessoas não se comprometem mais com a mesma intensidade de outrora, com a carreira dentro de uma empresa. O sonho do "homem organizacional" parece estar chegando ao fim. Esse sonho virou um pesadelo para a maioria. O índice de infelicidade tem aumentado muito em todos os níveis nas empresas. Os chefes, gerentes, superintendentes e executivos já não desfrutam tanto as benesses das promoções e dos cargos, pois o preço emocional tem sido alto. A seus subordinados, então, muitas vezes não resta saída a não ser conviver com níveis insuportáveis de pressão.

O que motiva, então, uma pessoa a trabalhar e a se comprometer com determinada empresa? Essa deixou de ser uma resposta fácil. As empresas esforçam-se para se tornar atraentes, mas poucas conseguem sucesso na mais elementar das missões: contribuir para a realização dos sonhos de seus colaboradores.

Atualmente, elas estão mais focadas em uma lista de critérios para serem consideradas um bom lugar para trabalhar. Os mais mencionados pelos especialistas e jornalistas são: treinamento e oportunidades de carreira, autonomia nas decisões, remuneração, benefícios, segurança e confiança na gestão, imagem da empresa, clareza e abertura na comunicação interna, camaradagem no ambiente de trabalho, responsabilidade social.

Inúmeras pesquisas tratam de verificar o peso de cada um desses fatores, para identificar o que retém as pessoas mais talentosas numa empresa. O item mais citado tem sido autonomia e liberdade para executar o trabalho, seguido da existência de desafios, perspectivas de evolução de carreira e qualidade dos dirigentes. A remuneração e os benefícios complementares sempre aparecem entre os dez primeiros lugares, mas raras vezes entre as cinco primeiras colocações.

O problema é que nem sempre as empresas oferecem o que os colaboradores de fato procuram. O mundo do trabalho vive um descompasso: as pessoas querem autonomia e missões desafiadoras, enquanto a maioria das empresas ainda oferece "fatores higiênicos", tais como salários, benefícios e adereços ligados à liturgia dos cargos. Por isso, talentos são perdidos para concorrentes ou para negócios próprios montados por colaboradores insatisfeitos e desmotivados.

As pessoas buscam um significado para suas vidas, algo que transcenda as tarefas, o dia a dia, o trabalho rotineiro. Querem criar, superar desafios. Esperam que seus sonhos sejam parte integrante do sonho da empresa. Procuram uma causa para abraçar, algo que os dignifique e os encha de orgulho. Querem pertencer a algo pelo qual vale a pena se empenhar e, em alguns casos, até se sacrificar.

Devido a esse descompasso, muitos artistas, atletas, cientistas, executivos, enfim, vários tipos de profissionais lutam para ser reconhecidos independentemente do sucesso da organização em que atuam. É o caso dos atletas para os quais é mais importante ser escolhido como o melhor jogador do ano do que o time em que atuam ser o campeão da temporada.

E você, já pensou em qual é o seu sonho profissional? O que você gostaria de estar realizando nos próximos dois anos?

Sonhos na vida familiar

Ser amado e respeitado pelos filhos, relacionar-se bem com seu par, desfrutar o lazer em família, desenvolver laços de apoio mútuo, levar a família para morar num bairro melhor e oferecer boa educação às crianças são alguns exemplos. Boa parte dessas metas é subjetiva e não chega a se transformar num projeto. Algumas famílias, porém, estão desenvolvendo formas de melhorar a convivência e a gestão desses assuntos.

Os consultores Renato e Rosa Alba Bernhoeft vão mais longe. O casal, que atua na área de sucessão de empresas familiares, vive um "sonho a dois". Ao longo de mais de quarenta anos de casamento, construíram "pautas" definidas por eles como:

> verdades emergidas do sonho, parcelas de esperança e de fogo que nos incendiava a imaginação e, apesar de parecerem coisas de amor jovem, tornaram parte ativa em nosso contrato de vida.

Tais pautas são: lutar para ficar juntos e construir; olhar o futuro; para todas as coisas sempre há uma saída.

Rosa é peruana; Renato, alemão. Conheceram-se no aeroporto. Apesar das diferenças culturais, os dois apresentavam uma convergência de ideais. Estavam no início da carreira, trabalhando como voluntários em projetos de desenvolvimento comunitário. Sonhavam transformar a sociedade, servindo e respeitando os outros. Em três meses, estavam casados. Três anos e três filhos depois, mudaram-se para o Brasil, em plenos anos 1970, no auge da ditadura militar. Suas profissões eram as que menos agradavam ao sistema vigente: ela era assistente social; ele, jornalista.

Depois de um começo difícil e de muito trabalho, conseguiram vencer. "Não a qualquer custo", confidenciou Rosa, que gosta de ser reconhecida como uma brasileira nascida no Peru.

> Foi um movimento contínuo de construção, aproveitando oportunidades, tomando posições, tendo a certeza de que o sonho tomava corpo, desafiava-nos a fazê-lo crescer, convictos de que saímos de quase nada para muito mais do que imaginávamos e de que tudo não termina aqui, mas segue adiante.

Rosa e Renato transmitiram suas "pautas" aos cinco filhos, Leonor, Carmen, Marita, Renata e Gustavo. Hoje, estão todos casados e com carreiras construídas. Desde pequenos, o sofá da sala era o ponto de encontro da família. Ali, pais e filhos fazem reuniões em que expressam suas verdades, críticas, contradições, diferenças.

Essas reuniões nos permitiram conhecer, compartilhar e apoiar materialmente as ações de cada um sobre seu próprio sonho. Fez de nós parceiros em todos os projetos. Tanto é que cada um carrega consigo uma aliança de quatro aros. Cada aro traz o nome de um dos quatro irmãos gravados para representar a certeza de que, onde quer que esteja, ou seja qual for sua necessidade, haverá quatro pessoas com as quais poderá contar.

Pode-se dizer que Rosa é "engenheira química". Não porque trabalhe em laboratórios. Mas porque, além de seu reconhecido talento como *coaching* de executivos, ela pratica uma alquimia da felicidade em sua família.

Sonhos para a vida comunitária

Iniciar projetos que gerem bem-estar à população carente da sua cidade, dedicar-se a causas ecológicas no seu bairro, cuidar da segurança do prédio onde mora, participar de iniciativas que favoreçam o desenvolvimento local ou de programas de solidariedade quando há catástrofes como enchentes, terremotos etc., são exemplos de sonhos para a vida comunitária.

Uma iniciativa de peso, a Pastoral da Criança, nasceu de uma reunião da ONU em Genebra, quando o então diretor executivo da Unicef convenceu o cardeal Dom Paulo Evaristo Arns de que seria possível salvar milhares de crianças que morriam de doenças passíveis de prevenção como a desidratação. Ao voltar para o Brasil, Dom Paulo conversou com sua irmã, a médica pediatra e sanitarista Zilda Arns. Em setembro de 1983, a Pastoral da Criança iniciou suas ações básicas de saúde, nutrição, cidadania e educação comunitária no município de Florestópolis, no Paraná. Vinte anos depois, acompanhava mensalmente cerca de 1,2 milhão de famílias em bolsões de pobreza do campo e da cidade localizados em 27 estados brasileiros. Países da América Latina, África e Ásia estão implantando organizações comunitárias nos moldes da Pastoral.

Várias pessoas têm dedicado parcela considerável de seu tempo e energia a projetos de voluntariado, participando de iniciativas nas áreas da saúde e da educação, visando a melhorar a qualidade de vida das comunidades. O Instituto Solvi, braço de um grupo empresarial com foco na engenharia ambiental, é uma dessas instituições que têm definido objetivos e indicadores claros sobre o número de pessoas beneficiadas por seus projetos sociais nas comunidades de vários pontos do país onde a empresa atua. As ações do Instituto Solvi são um reflexo dos sonhos de desenvolvimento comunitário dos líderes e colaboradores da empresa.

Você, leitor, está engajado em alguma atividade comunitária ou de voluntariado no seu bairro, escola, empresa ou cidade onde reside?

Sonhos para o país e o mundo

Combater as injustiças, a miséria e a desigualdade não são apenas plataformas de políticos em campanha. Existem pessoas que dedicam a vida a essa causa. Iniciam programas de solidariedade para auxiliar os desfavorecidos, lutam contra a fome, abrem uma empresa especializada ou investem no desenvolvimento de tecnologia para que o país deixe de depender das importações. Nesse caso, o desejo profissional e o sonho para o país entram em sintonia.

Ao longo de sua história, o Brasil teve boa cota de sonhadores. Registro dois exemplos: Tiradentes, que deu a vida pelo sonho da liberdade, e o barão de Mauá, primeiro empreendedor brasileiro que, dentre várias outras iniciativas, construiu navios, criou um banco e iluminou a cidade do Rio de Janeiro com a luz elétrica.

Mas talvez ninguém exemplifique melhor a transformação de um sonho em um projeto para este país do que o ex-presidente Juscelino Kubitschek. A primeira vez que ele mencionou o desejo de construir Brasília foi num comício em Jataí, interior de Goiás, em 1955, depois de ser interpelado por um rapaz de apelido Toniquinho. Como chovia muito e o público era pequeno, os organizadores decidiram transferir o comício da praça para um armazém de arroz, e os presentes puderam fazer perguntas ao então candidato a presidente. Foi aí que Toniquinho, enchendo-se de coragem, indagou: "Se o senhor for eleito, vai cumprir aquele artigo da Constituição que estipula mudar a capital do Brasil para o interior?" Ao responder enfaticamente que sim, Juscelino assumiu um compromisso público.

O curioso é que a idéia da transferência já era cogitada desde os tempos coloniais. Um dos primeiros defensores foi o marquês de Pombal, revela Claudio Bojunga no livro *JK: O artista do impossível*. Depois foi a vez de José Bonifácio, conhecido como o Patriarca da Independência, sugerir a mudança do Rio de Janeiro para o interior do país. Os republicanos resgataram essa bandeira, discutida em detalhes pela Constituinte de 1946, da qual Juscelino Kubitschek fez parte como deputado.

Ao ser eleito presidente, Juscelino pretendia promover cinqüenta anos de progresso em cinco anos de governo. Tinha um plano com 30 metas para as áreas de educação, energia, automobilismo, siderurgia etc. A construção de Brasília foi a 31ª, chamada de "meta síntese". Juscelino afirmou com palavras que parecem proféticas:

> Brasília significa a disciplina e o equilíbrio econômico do país, que há 400 anos vem crescendo de um lado só, na faixa litorânea. É possível disciplinar o seu progresso desordenado, transformá-lo em contingente unido, interligado sem os desníveis de riquezas, injustas e irremediáveis, que um dia poderão ameaçar a própria unidade nacional.

Juscelino Kubitschek sonhou com a nova capital e dividiu a tarefa de colocar seu sonho no papel com o arquiteto Oscar Niemeyer e o urbanista Lúcio Costa. O sonho foi se transformando em realidade à medida que os três se reuniam ao redor da mesa do escritório no "Catetinho", um alojamento improvisado que mais parecia um contêiner de um canteiro de obras. Ali, o presidente despachava à noite algumas vezes na semana, depois de chegar do Palácio do Catete, no Rio, viajando num quadrimotor da época. No memorial erguido em homenagem a JK destaca-se a frase que resumiu seu sonho: "Tudo se transforma em alvorada nesta cidade que se abre para o amanhã."

Assim como Juscelino, muitos brasileiros acreditam nos seus sonhos. O Brasil é reconhecido pela criatividade do seu povo. Mas abriga uma contradição: ostenta um dos menores índices de patentes do mundo. Até há pouco tempo, estava abaixo da Polônia e da África do Sul, o que faz concluir que o Brasil é bom de inauguração e péssimo de manutenção. Registrar patente envolve um passo além do ato de criar. Dá trabalho, é preciso escrever um projeto, contratar advogados, transformar a invenção em valor... E aí começa o problema: poucos brasileiros transformam sonhos em valor. Somos criativos, mas precisamos ser inovadores, o que significa transformar idéias criativas em produtos e serviços capazes de gerar valor. Há uma forte tendência a esperar, a achar que as coisas vão melhorar, em vez de lutar para que aconteçam.

"Brasileiro, profissão esperança" é a utopia nacional traduzida pelo dramaturgo Oduvaldo Viana Filho, assim como "Brasil, o país do futuro". Mas esse futuro parece que nunca chega porque os brasileiros sonham muito e realizam pouco. Falta disciplina para transformar sonhos em projetos e projetos em realidade. Somos um país de sonhadores e precisamos nos transformar em um país de realizadores de sonhos.

Em sua obra-prima *Raízes do Brasil*, o historiador Sérgio Buarque de Holanda diz que certa frouxidão e anarquismo, falta de coesão, desordem, indisciplina, indolência e um ligeiro pendor para o autoritarismo e para a tirania, encontrados no brasileiro, são resultado de uma mistura de características herdadas dos ibéricos. Assim como também herdamos suas virtudes: a criatividade do aventureiro; a adaptabilidade de quem não é rígido, mas flexível; a vitalidade de quem enfrenta, ousado, azares e fortunas; a originalidade dos indisciplinados.

O indigenista e antropólogo Darcy Ribeiro encontra explicação para nossas fraquezas em nossa herança colonial, no fato de o país ter sido regido como uma feitoria escravista e exportadora

Na opinião de Darcy Ribeiro, para mudar de rumo, o país precisa sair da armadilha socioeconômica que o mantém cativo de um modelo cruel de distribuição de renda.

> Precisamos resgatar a capacidade de sonhar de TODOS, mudando o modo de ordenação da sociedade, para que as pessoas, independente da estratificação de classes a que pertençam, possam sonhar com outro destino, regendo esse destino na busca de sua própria prosperidade e não na busca da prosperidade de outros como foi o modelo que nos originou.

Em outras palavras, o caminho para sair da "ninguendade" e alcançar a identidade é sonhar com seu futuro e lutar por ele.

Darcy Ribeiro não era apenas um arguto pensador, mas também um realizador de sonhos. Depois de 21 dias internado para tratamento de um câncer, fugiu do Hospital Samaritano, no Rio, e foi se esconder na sua casa em formato de oca na praia de Maricá. Fugiu para viver e escrever seu mais sonhado livro, O *povo brasileiro*. Quarenta dias e 449 páginas depois, respondeu à pergunta que o atormentava: Por que o Brasil ainda não deu certo?, tentando esclarecer por que o brasileiro não é senhor do próprio destino:

> Nós somos um povo em ser, impedido de sê-lo. Um povo mestiço na carne e no espírito, já que aqui a mestiçagem jamais foi crime ou pecado. Nela fomos feitos e ainda continuamos nos fazendo. Essa massa de nativos oriundos da mestiçagem viveu por séculos sem consciência de si, afundada na ninguendade. Assim foi até se definir como uma nova identidade étnico-nacional, a de brasileiros. Um povo, até hoje, em ser, na dura busca de seu destino.

Darcy não se limitou a explicar. Apresentou, também, o seu sonho para o Brasil do futuro. Esse novo Brasil a que se refere começa a ser desenhado, de certa forma, a partir de ações solidárias desenvolvidas não só por lideranças comunitárias, mas também por diversas empresas.

Ao implantar um projeto pioneiro na Bahia, em 1991, a Empresa Brasileira de Correios e Telégrafos deu um belo exemplo. A iniciativa, desenvolvida em parceria com a Secretaria da Justiça e Direitos Humanos do Estado, conquistou o prêmio Top RH. Tive a grata satisfação de presidir o júri, a convite dos promotores do prêmio, a Associação dos Dirigentes de Vendas do Brasil (ADVB) e a Associação Brasileira de Recursos Humanos (ABRH). O programa aposta na capacitação profissional para superar o desafio de reintegrar o preso à sociedade. Plano de treinamento, exercício profissional e acompanhamento por psicólogos e assistentes sociais procuram facilitar o retorno dessas pessoas ao mercado, após o cumprimento de suas penas. Os participantes recebem um salário mínimo mensal e vales-alimentação.

Inspiradas nesta iniciativa, 24 empresas implantaram programas semelhantes, que possibilitam atualmente a reintegração de mais de mil presos, cerca de 20% dos detentos do Estado.

Há vários tipos de sonhos fundamentais para o Brasil e para o mundo: a paz em um planeta livre de guerras e genocídios, a sustentabilidade ambiental, o fim do terrorismo, da violência urbana e do narcotráfico e o sonho eterno de maior justiça social.

O sonho da Paz teve seu auge no fim dos anos 1960 e início dos 1970, durante a guerra do Vietnã, e é resgatado cada vez que a humanidade recorre a soluções armadas para resolver seus conflitos. No início de 2003, a decisão unilateral dos Estados Unidos de invadir o Iraque provocou manifestações pela paz em várias partes do mundo e protestos pela Internet. Escudos humanos chegaram a se deslocar para Bagdá tentando evitar a guerra que o tempo demonstrou ter sido um terrível equívoco político, estratégico e humanitário do presidente republicano, George W. Bush.

Um mundo diferente do atual, livre da destruição que o próprio ser humano tem causado em diferentes formas. Este é o sonho da maioria das pessoas que desejam trabalhar, educar os filhos e deixar como herança um planeta melhor e mais seguro para as futuras gerações.

Um mundo como o beatle John Lennon um dia descreveu: "Imagine que não há países, /(...)/ Nada por que matar ou morrer, /(...)/ Imagine todas as pessoas / Vivendo em paz. /(...)/ Você pode dizer que sou um sonhador, Mas eu não sou o único..."

Leitor, qual é o seu sonho de cidadania para o Brasil e para o mundo? E o que você está fazendo para realizá-lo?

Sonhos íntimos: Qualidade de vida, saúde, desenvolvimento espiritual

Os sonhos para a vida íntima, pessoal, são absolutamente essenciais. Qualidade de vida, saúde, relações fortes de amizade, desenvolvimento espiritual, bom humor funcionam como alavancas para aspirações em outras esferas. Na ausência deles, a pessoa fica sem energia para lutar por seus objetivos.

É cada vez mais comum entre os empresários o desejo de se afastar por um tempo do mundo corporativo para refletir sobre os passos a dar, sobre mudanças a ser efetuadas ou, simplesmente, recuperar o equilíbrio pessoal. Esse "sonho sabático" pode se concretizar na forma de um curso no exterior ou uma caminhada como a de Santiago de Compostela. Alguns seguem a trilha do peregrino com o objetivo de refletir sobre a essência de suas vidas. Tudo isso mostra que a realização de um sonho envolve muito mais que o sucesso material.

Existe hoje uma verdadeira indústria promovendo a melhoria da qualidade de vida. Dia após dia surgem novos empreendimentos voltados para bem-estar, redução do stress, esporte, *coaching* nas empresas, orientação nutricional, massagens holísticas, consultor de estilo... Negócios que não exigem um capital intensivo, nem grandes aparatos. O profissional atende em domicílio ou na própria casa. O principal é a competência. O novo mercado não só responde ao sonho pessoal dos clientes, como pode ajudar o prestador do serviço a realizar o seu.

Mas qualidade de vida não deve ser percebida como sinônimo de entrar em uma maratona de spas e de consultas com especialistas esotéricos da moda. Melhorar a qualidade de vida requer decisões íntimas, difíceis, que implicam coragem para mudar o estilo de vida de cada um, eliminando hábitos muitas vezes inadequados e adquirindo costumes mais saudáveis.

Muitas vezes exige o investimento de tempo para cultivar amizades verdadeiras que fazem bem à nossa existência e o afastamento da roda-viva que consome nossa energia vital. Pressupõe o tempo para introspecção espiritual em busca do significado da existência de cada um.

Leitor, você já deve estar se fazendo essa pergunta: Quais os seus sonhos mais íntimos de desenvolvimento como ser humano?

Sonho da realização financeira

Ter casa própria, carro do ano, poupança substancial em uma conta bancária. Dobrar o patrimônio no próximo ano. Viver de rendas. Construir uma herança para os filhos. Garantir a aposentadoria. Ganhar sozinho na mega-sena. Ficar rico!

Muitas pessoas dedicam suas vidas a realizar o sonho da riqueza econômica financeira. Vivem para essa finalidade, sacrificam o presente para garantir o futuro. Muitos até cometem deslizes éticos visando a encurtar a distância entre seu patrimônio atual e o ambicionado.

Não vou entrar no mérito do clássico debate se o dinheiro traz ou não a felicidade. No meu entender, essa discussão já está superada pelo menos em um ponto de consenso: a tranqüilidade financeira é uma peça importante no quebra-cabeças dos sonhos, um pré-requisito para que as pessoas possam desenvolver os múltiplos aspectos do seu potencial e explorar melhor as diversas facetas da vida.

Mas preciso enfatizar uma opinião: a grande maioria dos realizadores de sonhos considera a realização financeira uma conseqüência da realização de outros sonhos — e não um sonho em si mesmo. Ou seja, riqueza não era o sonho inicial de nenhum deles. Abriram negócios, dedicaram-se a causas sociais, inventaram um novo produto, criaram uma obra de arte, pensaram em suprir necessidades ainda não atendidas de certos públicos-alvo. Depois de muito lutar pelos seus sonhos, tiveram sucesso. Ganharam dinheiro ou, pelo menos, melhoraram de padrão de vida. Os ganhos financeiros foram conseqüência de sonhos bem sonhados, não o sonho principal.

O conhecido publicitário Nizan Guanaes, ao discursar como paraninfo de uma turma da Fundação Armando Álvares Penteado (FAAP), em São Paulo, foi enfático:

> Persiga fazer o melhor. Não paute sua vida, nem sua carreira, pelo dinheiro. Michelangelo não passou dezesseis anos pintando a Capela Sistina por dinheiro. Quem pensa só em dinheiro não consegue sequer ser um grande bandido, nem um grande canalha... Geralmente, os que só pensam nele não o ganham. Porque são incapazes de sonhar. E tudo que fica pronto na vida foi construído antes na alma.

Repito: não estou insinuando que dinheiro não seja importante. É sim! E muito importante. O que estou enfatizando é que ao colocar o ganho financeiro como principal objetivo, você pode perder o foco no verdadeiro sonho. Ou, também, meter os pés pelas mãos, achar que os fins justificam os meios e adotar comportamentos que talvez o impeçam de vir a desfrutar o dinheiro que amealhou. Pense nisso!

Sonho empreendedor

Além das aspirações já mencionadas — realização profissional, vida familiar, cidadania comunitária, desejo de ajudar a construir um país e um mundo melhor e mais justo, tranqüilidade financeira e desfrutar melhor qualidade de vida, saúde, amizades e vida espiritual —, um dos sonhos recorrentes em um grande número de pessoas tem sido o de montar o próprio negócio, verbalizado por muitos como "ser dono do próprio nariz" ou de "não ter mais chefe, nem patrão".

Esse *sonho empreendedor* se manifesta de diversas formas: inventar algo novo, fabricar produtos de alta qualidade, responder a necessidades ainda não atendidas, seguir uma vocação antiga, transformar o hobby em um negócio, ser líder de mercado, construir uma empresa de classe mundial mesmo com atuação local... enfim, fazer acontecer!

O Brasil é um dos países de maior índice de empreendedorismo no mundo. Existem mais de 5 milhões de pequenas e médias empresas (representando 98% do total das empresas do país), que são o verdadeiro motor da nossa economia. Esses empreendimentos representam a maior força de trabalho do país, cerca de 70% dos brasileiros trabalham em uma dessas empresas.

Apesar de todos os obstáculos a ser vencidos — um emaranhado de leis, impostos múltiplos e absurdos, dificuldades logísticas, enorme burocracia, falta de crédito, enfim, uma lista interminável de barreiras a que se convencionou chamar de "custo Brasil" —, o espírito empreendedor brasileiro segue sempre em frente, desafiando o peso da sua improbabilidade.

Infelizmente, muitos ficam pelo caminho. A taxa de insucesso é grande. Apenas cerca de 60% dessas empresas completam o quinto aniversário.

Por essas razões, é muito importante perceber os verdadeiros motivos do sonho empreendedor de cada pessoa. O motor é a necessidade ou a oportunidade?

Os empreendimentos podem ser movidos pela necessidade do empreendedor: perda do emprego, falta de outras opções profissionais, desejo de investir a poupança para aumentar o patrimônio, aposentadoria, vontade de sair da casa dos pais, dentre várias outras.

Mas também podem nascer da capacidade de identificar uma oportunidade: a percepção de algo ainda não detectado por outros, exatamente o que motivou Ozires Silva a desenvolver o seu projeto pioneiro do avião pequeno para curtas distâncias. Lembra-se do sonho dele que culminou com a criação da Embraer?

Nos últimos anos, o número de empreendimentos criados pela oportunidade tem crescido mais que o número dos movidos pela necessidade do fundador. É um bom sinal, porque os negócios baseados em oportunidades concretas têm maior probabilidade de sucesso a curto prazo e de autossustentabilidade a médio prazo.

Mas não se preocupe porque também são inúmeros os casos de sucesso de negócios criados pela necessidade do fundador. O importante é que você perceba a diferença entre ambos os motivadores e aplique uma regra básica, muito simples: a regra da complementaridade.

Explico melhor. Caso você esteja pensando em montar um negócio porque foi demitido, está cansado de agüentar um chefe insuportável, precisa aumentar a renda familiar etc., complemente este desejo investindo em algo para o qual haja uma real oportunidade, portanto, clientes capazes de se interessar pelos seus produtos ou serviços.

Da mesma forma, caso você esteja sonhando em empreender algo devido à oportunidade de ouro que percebe, complemente esta vontade investindo em algo a que consiga se dedicar de corpo e alma, principalmente nos primeiros anos, para seu novo negócio decolar. E nunca se esqueça de desenhar o seu "plano B", para o caso de alguma coisa sair fora do previsto.

Os estudos sobre franquia, por exemplo, mostram que os franqueados bem-sucedidos são aqueles que dependerão do sucesso daquele negócio para sobreviver no futuro. As franquias em que a esposa de um executivo rico entra num negócio como um "passatempo" raramente dão certo.

Aliás, convém deixar claro que o empreendedorismo no Brasil tem sido mais feminino que masculino: 52,4% dos novos empreendimentos, com até 42 meses de criação, são comandados por mulheres, segundo a pesquisa Global

Entrepreneurship Monitor 2007 (GEM), feita pelo Serviço Brasileiro de Apoio às Micro e Pequenas Empresas (Sebrae) e o Instituto Brasileiro de Qualidade e Produtividade (IBQP).

Os inúmeros casos de sucesso das mulheres na realização do sonho empreendedor se devem a certas características predominantes no universo feminino: flexibilidade, jogo de cintura, competência para negociar, capacidade de fazer várias coisas ao mesmo tempo, humildade, sensibilidade para perceber desejos dos clientes, dentre vários outros motivos.

Mas, qualquer que seja o seu sexo, o empreendedor eficaz é o que consegue obter resultados incomuns de pessoas comuns. Sabe lutar pelos seus sonhos, perceber os sonhos dos clientes e motivar parceiros e colaboradores a trabalhar para torná-los realidade, transformando o sonho individual em sonho da equipe.

O empreendedor eficaz sabe que os clientes não querem apenas adquirir um produto ou serviço. Eles procuram cada vez mais a emoção, a experiência de compra, que passa a ser tão importante quanto o produto adquirido.

Isso mesmo, as pessoas não compram apenas produtos. Compram sonhos. Cada vez mais elas valorizam o simbólico, o intangível.

Muitas vezes os clientes são fiéis a uma marca ou a uma empresa, não apenas pelo tangível — produtos que vêem e pegam —, mas também pelo intangível — aquilo que sentem na interação com a empresa.

O empreendedor deve estar em sintonia com o cliente, atento a seus desejos e necessidades. É o que denomino "clientividade", conceito que inventei há cerca de dez anos para simbolizar as atitudes voltadas para a arte de conquistar, encantar e fidelizar clientes.

Em síntese, o empreendimento vencedor é o que consegue compatibilizar pelo menos um trinômio de sonhos:

- Sonho do empreendedor: tem uma visão e deseja transformá-la em um negócio;
- Sonho do cliente: entender e antecipar os desejos de clientes potenciais;
- Sonho da equipe: mobilizar colaboradores e parceiros a abraçar a causa de servir aos clientes.

Se você souber exercer a arte de compatibilizar essa trilogia de sonhos, crescem as chances de o seu sonho empreendedor dar certo.

A afirmação abaixo é de Norberto Odebrecht, criador de uma das maiores empresas brasileiras, fundada em Salvador, em 1944:

> Sempre que um prestador de serviços interagir com o cliente, entendendo suas reais necessidades, será criada uma relação única entre os dois. Única, porque o cliente só desejará ter aquele prestador de serviços, que o satifaz de maneira exemplar.

Ela foi feita a partir de uma necessidade muito pessoal: pagar integralmente as dívidas do pai, mantendo a firma por ele criada, na qual começou a trabalhar como aprendiz aos 14 anos. Visava a reconquistar a confiança da comunidade, dos cliente e dos credores.

A firma paterna, Emílio Odebrecht & Cia., entrou em situação de insolvência porque os contratos de construção eram feitos a preço fixo. No entanto, os custos dos insumos, quase todos importados, dispararam com a Segunda Guerra Mundial. Sua fórmula para cobrir o rombo foi surpreender os clientes. Percebeu uma janela de oportunidade para se diferenciar: a maioria dos clientes andava insatisfeita com a falta de cumprimento de prazos, preços acertados e qualidade prometida. Norberto converteu seus mestres-de-obras em parceiros e começou a remunerar as equipes com base em resultados. Um prédio de dez andares que levava três anos para ficar pronto passou a ser terminado em nove ou dez meses.

Muito antes do que esperava, todas as dívidas foram pagas, e na década de 1950, Norberto Odebrecht tornou-se um dos empresários mais bem-sucedidos da Bahia.

> Guiado pela intuição, comecei minha vida profissional praticando os princípios da descentralização, da delegação planejada e da parceria, em vigor até hoje. O importante, para mim, era formar novos empresários-parceiros. Este se tornou o meu sonho, dentro da visão de

criar federações de pequenas empresas para formar uma organização capaz de atuar como uma confederação de grandes empresas. Essa foi, tem sido e acredito que continuará a ser nossa estratégia.

Mas a estratégia, por si só, não é suficiente. Norberto a considerava um meio para chegar a um fim: servir sempre, cada vez melhor e mais.

Peço sua atenção à ordem das palavras: o melhor deve vir antes do mais. Se o objetivo do empresário é servir, então ele só poderá ter um sonho: sonhar o sonho do Cliente e procurar realizá-lo.

O empresário baiano ressalta que o mais importante é criar uma relação duradoura com o cliente, com os liderados, a comunidade e, em conseqüência, os acionistas. "O negócio do empresário deverá ser a promoção de um jogo de soma positiva; ou seja, um jogo no qual todos possam ganhar, ao mesmo tempo."

Não só as grandes empresas devem estar atentas aos sonhos dos clientes. Isso também vale para os pequenos negócios e para as decisões da carreira. "Não fui procurar emprego, fui procurar clientes", afirma Dilma Abidias, a barraqueira na praia de Ipanema, no Rio de Janeiro. Desempregada, ela decidiu vender salgados e refrigerantes para os banhistas. Após um dia cansativo, sem vender nada, sentou na areia e ficou observando o movimento. Foi então que percebeu uma oportunidade: descobriu que as mães têm uma obsessão de lavar as mãos sujas de areia da criança antes que ela coma alguma coisa. Começou a carregar um isopor com água potável para facilitar a vida delas. Depois, ampliou os negócios. Montou sua barraca no ponto mais badalado da praia de Ipanema e começou a alugar óculos, bronzeadores. Percebeu que os pais separados que levavam os filhos à praia não se lembravam do protetor solar. O próximo passo foi disponibilizar protetores solares para a clientela infantil.

Quando perguntam a razão de seu sucesso, ela responde: "Muito trabalho. Eu abro a praia às 7 horas da matina." De fato, é uma das primeiras a chegar e uma das últimas a sair. Quiseram saber de que precisa para ter sucesso. "Do sol. O resto, eu tenho", disse sorrindo, enigmaticamente. Dilma soube transformar a riqueza universal do Brasil, o sol, num grande ativo, um fator de atratividade, diferenciando-se pela intuição, coragem, desejo de servir e postura voltada para seus clientes, que a adoram.

Dilma acabou se tornando bastante conhecida. Saiu na capa da revista *Pequenas empresas, grandes negócios*. Apareceu no *Fantástico* e foi entrevistada no programa do Jô Soares. Virou uma espécie de celebridade em um ponto freqüentado por artistas e personalidades do cenário carioca.

Dilma é uma empreendedora, realizadora não apenas dos seus sonhos pessoais, mas também dos sonhos e necessidades dos seus clientes e da pequena equipe dos parceiros que labutam com ela no seu micronegócio. Essa é a essência do espírito empreendedor!

Cuidado com os falsos sonhos!

Antes de abordar a importância do equilíbrio no mapa de sonhos, gostaria de alertá-lo para alguns falsos sonhos, certas aspirações que acabam frustrando as pessoas mesmo quando conseguem realizá-las.

Um exemplo é a vontade obsessiva de alguns de se tornar uma *celebridade instantânea*. Na era da comunicação de massa em que vivemos, são grandes e freqüentes os estímulos, por isso um número crescente de pessoas ambiciona ficar famosa da noite para o dia. Da mesma forma que o sucesso financeiro muitas vezes é conseqüência de um sonho bem executado, tornar-se uma celebridade é muito mais conseqüência de algo realizado do que um fim em si mesmo.

Se você aspira a ser uma celebridade reconhecida nas ruas e com aparições freqüentes na mídia, pense muito no que precisará ser ou fazer para realizar este desejo. Os personagens midiáticos sem conteúdo têm vida efêmera sob os holofotes e muitas vezes viram celebridades por motivos dos quais se arrependem depois. Anote a constatação de Malcolm Gladwell, escritor americano, no seu livro *Fora de série:* "As pessoas que ganharam notoriedade dedicaram pelo menos 10 mil horas de suor ao assunto que as tornaram célebres." Traduzindo, isso significa 20 horas semanais durante dez anos para chegar a tal. Exemplos: Einstein levou 17 anos formulando a mesma pergunta sobre a transformação de energia em massa e vice-versa. Os Beatles tinham feito 1.200 apresentações em Liverpool, Inglaterra, antes do sucesso na turnê americana em 1964. Madonna faz duas horas de malhação diárias e ensaia mais seis horas por dia, para manter, como uma cinqüentona, a exuberante forma física que a todos impressiona durante os seus eletrizantes shows ao vivo.

O sonho do *consumismo* é outro que também merece reflexão. Muitas vezes se trata de um mecanismo de fuga, de um jogo de aparências que acaba tirando a pessoa do foco de seus verdadeiros sonhos. Às vezes, até viram impeditivos de sonhos por causa das dívidas impagáveis que precisam ser honradas.

Portanto, leitor, tenha muito cuidado para não cair nestas ciladas! Quantos dias de suor faltam para você completar as 10 mil horas apontadas por Gladwell? Qual foi a última vez que você abdicou de consumir algo irrelevante para aumentar as chances de realizar o seu verdadeiro sonho?

Equilíbrio dos sonhos

Para conseguir transformar sonhos em realidade, caro leitor, você precisa analisar como está o seu mapa de sonhos. Você conseguiu identificar pelo menos um sonho em cada área? Qual deles é o prioritário? Qual é o grande sonho que deseja realizar nos próximos dois anos?

Após conversar com tanta gente sobre este tema nos últimos cinco anos, eu me arrisco a dar uma dica para os iniciantes: o sonho está dentro de você. Talvez esteja engavetado, mas percebê-lo e dar-lhe vida está ao seu alcance.

Isto não requer anos de análise, viagens a terras prometidas ou outras complicações. O sonho é a verdade que está dentro de você. Então, descomplique! E não se assuste se em pouco tempo você encontrar a resposta que procura.

Mas aqui vai outra dica: o equilíbrio entre as diferentes esferas da sua vida é fundamental. Lembre-se sempre: *é muito provável que o sonho maior esteja no equilíbrio entre os seus diferentes sonhos.*

Muita gente concentra suas energias numa esfera exclusiva, quase sempre a profissional, e deixa o resto por conta do acaso. Ser bem-sucedido num campo não garante sucesso nos demais. Nem é possível fragmentar o ser humano supondo que ele alcance a realização plena sendo bastante feliz numa área e totalmente infeliz nas outras.

É tempo de convergir. O mundo está abandonando o velho paradigma típico da era industrial, que separou a diretoria do chão de fábrica, distanciou o cliente da empresa, dissociou o fazer do pensar, o racional do emocional, e está ingressando na era da convergência, a busca do equilíbrio entre o capital e o trabalho, o intelecto e a intuição, o lucro financeiro e o lucro social. Convergir significa reconstruir as relações humanas, sociais e empresariais. No caso específico do ser humano, significa encará-lo como um todo: corpo, mente, espírito, emoções etc.

Da mesma forma, antes de começar a agir precipitadamente em busca da realização de um único sonho, precisamos fazer convergir o conjunto dos nossos sonhos em suas diferentes esferas — profissional, familiar, comunitária, cidadania, espiritual, qualidade de vida, social, saúde, financeira, para mencionar as principais. Buscar essa convergência é nosso maior desafio.

A empresária Luiza Helena Trajano Inácio Rodrigues estava disposta a encará-lo ao assumir a superintendência do Magazine Luiza, uma tradicional rede de varejo com sede em Franca, no interior paulista, criada por seus tios. Ela foi a idealizadora de uma bem-sucedida reformulação na rede, que colocou o cliente no centro das atenções. Resultado: as inúmeras lojas espalhadas por vários estados das regiões Sudeste e Sul vendem mais a cada ano que passa. Ela afirma:

> Meu sonho sempre foi ter uma empresa em que o capital financeiro caminhasse junto com o capital humano. O maior obstáculo a sua realização é a dificuldade de equilibrar estes dois mundos.

Essa visão empresarial é coerente com a forma como Luiza Helena gerencia seus outros sonhos: "Eu não faço uma divisão muito grande entre meus sonhos pessoais, da empresa e comunitários. Tento conciliá-los como se fossem uma coisa só."

Não adianta muito realizar bem seu sonho profissional, ser brilhante na carreira, e arrasar seus sonhos familiares e se omitir como cidadão ou perder a saúde e os amigos. Certa vez, ouvi de um colega que não tinha assistido ao nascimento de sua filha por estar em uma viagem de negócios para fechar um excelente contrato: "Não adianta ser uma estrela brilhante no trabalho e uma lua minguante em casa!"

Mais do que um projeto profissional, os realizadores de sonhos bem-sucedidos elaboram projetos de vida que integram sonhos e objetivos profissionais com os sonhos pessoais mais íntimos, os familiares e os comunitários. Daí a importância de cultivar sonhos múltiplos e gerenciá-los como um conjunto integrado.

Agora, chega de "teoria" sobre o mapa de sonhos. Liste os seus e prepare-se para tirá-los da cabeça e colocá-los no papel. Vamos lá, mãos à obra.

1. Descreva numa frase como está sua situação nos vários campos abaixo.

Saúde...

....

Trabalho e carreira profissional..

....

Realização financeira...

....

Vida familiar...

....

Participação na comunidade...

....

Causas sociais, ecológicas...

....

Relacionamento com amigos...

....

Vida espiritual..

....

Atividades empreendedoras...

....

2. Relacione 5 dos seus sonhos por ordem de importância.

1)...

....

2)...

....

3)...

....

4)..

....

5)..

....

3. Determine qual deles deve ser buscado primeiro, o mais urgente que deverá servir de base para os demais, não necessariamente o mais importante.

....

....

4. Existe algum desequilíbrio no seu mapa de sonhos? Os sonhos e as ações que você pretende realizar dizem respeito apenas a sua carreira profissional ou contemplam também outros tipos de projeto? Veja qual é a área mais descoberta e escreva uma ação a ser realizada para suprir esta deficiência.

....

....

....

....

....

....

....

....

....

....

....

....

3

IDENTIFIQUE AS PEDRAS E PONTES NO CAMINHO

Levanta, sacode a poeira
e dá a volta por cima!

Volta por cima, Paulo Vanzolini

Fazer funcionar um hotel com padrão internacional de serviços, dentro de um parque a 1.250 metros de altitude, na região de Teresópolis, Rio de Janeiro, num local desprovido de telefone, energia elétrica, água encanada, em suma, sem a mínima infra-estrutura, e carente de mão-de-obra qualificada. O sonho do advogado Helenio Waddington e de sua mulher Ildiko parecia inatingível. Alto executivo no mundo financeiro, que estabelecera relações de confiança nos mercados de Londres e Zurique, Helenio foi construindo passo a passo o seu sonho.

Após dez anos de trabalho, ele inaugurou o Hotel Rosa dos Ventos, em 1986. Quatro anos mais tarde pôde vê-lo incluso no Relais & Chateaux, associação internacional sediada em Paris que congrega 450 hotéis e restaurantes com características excepcionais, segundo os rígidos padrões internacionais de qualidade. O Rosa dos Ventos foi o primeiro hotel brasileiro admitido nessa associação, que abriga estabelecimentos de mais de 40 países.

O primeiro sonho de Waddington estava realizado, mas ele não parou. Tinha outros dois sonhos igualmente desafiadores, que eram continuação do primeiro. "A mania de sonhar com o inédito me persegue desde jovem", confidencia.

O segundo sonho era criar uma associação nacional de hotéis que tivessem em comum o compromisso de aliar conforto e serviços de qualidade ao respeito à natureza e à responsabilidade social. Em junho de 1992, unido a quatro hoteleiros com esse perfil, redigiu uma declaração de princípios que norteia a Associação de Hotéis Roteiros de Charme. O que parecia uma iniciativa utópica e de curta duração transformou-se numa grife que reúne mais de 40 hotéis, pousadas e refúgios ecológicos de norte a sul do país.

O terceiro sonho era o reconhecimento internacional do pioneirismo e da seriedade do programa ambiental da Associação Roteiros de Charme. Com pouco mais de 70 anos, o hoteleiro conta empolgado:

> Como sonhar não é pecado, com o incentivo da minha mulher, procurei a UNEP, organismo das Nações Unidas voltado à preservação ambiental, e estabeleci uma parceria inédita para o incremento do turismo nacional: este acordo abre a possibilidade de promover programas de treinamento de gestão ambientalmente correta para pequenos e médios empreendimentos

turísticos. Em 1992, quando finalmente deixei de atuar no mercado internacional, decidi me aposentar ao contrário: trabalhando em dobro, sem vencimentos, mas muito feliz.

Obstáculos existem. Helenio Waddington demorou dez anos para remover os primeiros. Mas, por pior que se configurem, não são motivo para os realizadores de sonhos desistirem de seus propósitos. Se necessário for, eles movem uma montanha.

Nem todos os obstáculos vêm da natureza. Alair Martins, fundador de uma das 50 maiores e mais bem administradas empresas do país, a Martins Atacadista, tinha o sonho de sair do sítio da família onde trabalhava e ir para a cidade de Uberlândia, em Minas Gerais, abrir um pequeno comércio. O pai não concordava. Levou três anos para convencê-lo, mesmo contando com o apoio da mãe. Aos 15 anos, encontrou o artifício decisivo: viveria com os tios, colaborando no armazém deles. Seria um teste para ver se se adaptaria à vida na cidade. Deu tão certo que a atacadista criada por Martins é respeitada hoje no Brasil todo como uma empresa modelo em logística e no seu ramo de atividades figura entre as maiores do país em faturamento.

O mais difícil, às vezes, é lidar com o preconceito. Carlinhos de Jesus, maior dançarino popular brasileiro da atualidade, teve de enfrentá-lo dentro de casa. Aos 9 anos, já desfilava na escola de samba Em Cima da Hora, em Cavalcante, zona norte do Rio de Janeiro, onde descobriu sua vocação.

> Meu sonho era dançar. Queria aprender mais e pedi ao meu pai que me inscrevesse em uma escola de dança. Preocupado com a minha masculinidade, ele recusou. Dias depois, apareceu com um papel na mão. Era a matrícula numa academia de jiu-jítsu. Muitas porradas depois, abandonei a academia e temporariamente os meus sonhos.

Carlinhos se formou em Pedagogia e arrumou um emprego na Febem como professor de adolescentes problemáticos. Empenhou-se em ajudar esses jovens a encontrar um caminho digno para suas vidas. Mas seu desejo era viver da dança. O principal obstáculo a vencer foi a discriminação. "Quando comecei a dançar, as gafieiras eram lugares para prostitutas e malandros." A grande oportunidade surgiu quando foi convidado a dar aulas para um grupo de artistas e políticos na casa do jornalista Sérgio Cabral.

> Com persistência e a sorte de estar preparado, no lugar certo e na hora certa, mergulhei fundo nessa arte e não parei mais. Participei de shows, cinema, TV, teatro e me tornei dançarino profissional.

O sucesso deste artista, que flutuou de forma magnífica na avenida ao representar a figura bíblica de Moisés durante o desfile da escola de samba Estação Primeira de Mangueira, no Carnaval de 2003, é produto de técnica, estilo, dedicação, atenção, assiduidade, ética e, sobretudo, humildade, assim definida por Carlinhos: "Entender que você precisa estar sempre aprendendo."

Era uma vez uma pedra: Remova os obstáculos...

Quais são os obstáculos mais comuns que precisam ser superados para a realização dos nossos sonhos?

Falta de tempo

"Estou tão absorvido com a roda-viva e a sobrevivência da minha família que não tenho tempo para sonhar", é a desculpa mais comum para adiar o sonho. Ou então: "A rotina e a burocracia dentro da empresa me consomem. Além disso, tenho de desempenhar múltiplos papéis, como chefe de família, profissional, membro atuante do condomínio onde vivo, fora os problemas dos parentes que sempre me tomam tempo." Esta queixa é mais comum entre mulheres que, além de trabalhar fora, administram a casa, os filhos...

Durante os diversos eventos que conduzo com presidentes de empresas, além de reconhecerem a falta de tempo para se dedicar aos sonhos, eles ainda citam como "principal obstáculo à realização de sonhos as pressões do dia a dia, que desviam a atenção dos sonhos".

E, assim, a energia é esgotada pelos afazeres cotidianos. Não sobra tempo, nem pique, para planejar e executar sonhos. As empresas também privilegiam o imediato, amarram-se em ações burocráticas e perdem muitas vezes sua essência. O sonho é relegado a segundo plano, perdendo a prioridade na vida das empresas e das pessoas.

Recursos escassos

Outra justificativa comumente citada é a falta de dinheiro. "Ah, se eu ganhasse na loteria! Aí teria condições de sonhar e realizar meus desejos." Nas empresas, a culpa é atribuída aos orçamentos apertados, à cobrança por resultados a curto prazo. Normalmente, os sonhos dizem respeito às metas de longo prazo, então vão ficando por último na lista de urgências. Nos órgãos públicos, a escassez de verbas é um grande desmotivador. "Estou me transformando em destruidor de sonhos", disse-me recentemente uma funcionária de um órgão governamental. "Me apresentam projetos belíssimos, mas faltam recursos para implantar. E vou podando. Tenho dito a colegas membros do governo: Esquartejem seus sonhos!" Ela me confidenciou que sofre com isso e gostaria de estimular os projetos que trazem para sua aprovação.

Desestímulos e negativas

Nossa sociedade é voltada para o NÃO: "Não pode", "Não faça", "Vai se machucar", "É perda de tempo", "Pra que tanto esforço?" Desde a educação familiar, as crianças são inibidas a se arriscar. Na escola, também têm que se comportar dentro de parâmetros. Iniciativas e riscos são desestimulados. Na empresa, ainda predomina o "você é pago para fazer e não para pensar", que pode ser traduzido por "você não é pago para sonhar". Os realizadores de sonho têm de possuir uma dose extra de perseverança para vencer a torcida contrária.

A cozinheira mais famosa da Bahia, conhecida carinhosamente como Dadá, precisou de muita persistência para concretizar seu sonho. Depois de trabalhar anos como empregada doméstica, no interior do estado e depois em Salvador, e vender comida no Porto da Barra, aos poucos foi alimentando a idéia de montar um restaurante. "Sabia que ia ser um sucesso. Mas só eu acreditava nisso", costuma dizer em suas apresentações. "Contei para uma amiga o meu desejo. Ela me achou maluca. Falou que no restaurante não entraria mosquito, nem barata, nem cachorro, quanto mais gente." A mesma impressão teve o seu companheiro naquela época.

Dadá tinha duas saídas: trocar de sonho ou de companheiro. Preferiu ficar com o sonho. Desfez o relacionamento e abriu um restaurante nos fundos de sua casa. Deu tão certo que hoje tem seu restaurante, sempre muito bem freqüentado, no Alto das Pombas, no bairro da Federação, e se tornou uma parceira cobiçada por empresários do ramo da gastronomia em todo o Brasil. Sempre sorridente, esbanja felicidade. A marca "Dadá" é uma das mais reconhecidas em Salvador. Certamente está entre as cinco marcas mais reconhecidas em qualquer pesquisa que se realize na Bahia.

Felizmente essa tendência ao desestímulo tem contrapontos. Está surgindo no interior do Paraná um método inovador que almeja exatamente o oposto: despertar a ousadia nas crianças. A chamada Pedagogia Empreendedora está sendo aplicada aos cerca de 18 mil alunos da rede municipal de ensino de Guarapuava, no oeste paranaense. Ela parte do princípio de que todos nascem empreendedores e que a sociedade acaba inibindo essa característica. O objetivo é cultivar esse dom. Desde os quatro anos de idade, as crianças são estimuladas a formular seus sonhos e buscar sua realização.

Cultura da exclusão

As pessoas são forçadas a fazer escolhas sempre de curto prazo em detrimento do longo prazo. Têm de pagar o aluguel, o tratamento dentário, o financiamento do carro, reformar a casa, cumprir meta de vendas do trimestre... E o desejo acaba ficando sempre para depois. É preciso trabalhar em duas dimensões simultaneamente: lutar pelos projetos a curto prazo e plantar sementes para realizar algo a médio e longo prazos. Ou seja, garantir o presente enquanto cuidamos do futuro que desejamos para nossas vidas.

Falta do hábito de sonhar

É quase uma decorrência dos demais obstáculos. Os afazeres diários afastam as aspirações e a capacidade de sonhar. O perigo é real, se o hábito de sonhar acordado não for cultivado.

Medo de errar

O temor de se frustrar, decepcionar os outros, se expor e enfrentar o ridículo, se arriscar e "quebrar a cara" são sérios obstáculos não só à realização dos sonhos, mas também à exposição desses desejos. Há quem guarde durante anos os planos só para si. Ou compartilha apenas com as pessoas mais íntimas. E muitas ações acabam sendo abortadas na raiz. O medo do fracasso é um dos maiores e mais difíceis obstáculos à realização dos sonhos.

"Em time que está ganhando não se mexe"

Acredite: o sucesso pode ser um dos maiores obstáculos à realização dos sonhos. Afinal, a tendência do vencedor é se acomodar, preservar o *status quo*, repetir as mesmas soluções que deram certo uma vez e rejeitar as novidades. Atenção: em time que está ganhando se mexe, sim! Para não ser forçado a mexer na hora do prejuízo.

Crença do "sempre foi assim"

As pessoas não são encorajadas a pensar diferente, nem a desafiar o *modus operandi*. Quando se arriscam a sonhar, é dentro do quadrado das tradições. Isso inibe a criatividade e aprisiona os sonhos. Visionários e sonhadores transcendem os limites dessa crença. Não aceitam o impossível; eles vão e realizam. Foi o que fez o comandante Rolim Adolfo Amaro. Esse menino de Pereira Barreto, no oeste paulista, que sonhava ser piloto, revolucionou a aviação comercial brasileira. Criou serviços exclusivos e inovadores. Seu lema era tratar os passageiros como celebridades, com direito a tapete vermelho em cada viagem. A Ponte Aérea entre Rio e São Paulo nunca mais foi a mesma depois do comandante.

No entanto, para chegar ao sucesso, Rolim teve de superar não apenas a crença do "sempre foi assim", mas também recursos escassos, desestímulos, negativas. De origem humilde, foi assistente de mecânico, aprendiz de escrevente de cartório e entregador de sanduíches. Com o salário minguado, comprou uma lambreta que serviu para pagar o curso de piloto, contou em entrevista à imprensa.

Quando estava prestes a obter o segundo brevê, de piloto privado, o aeroclube instituiu uma taxa que ele não podia pagar. Viajou 200 quilômetros de trem e de carona para pedir auxílio a um tio fazendeiro, que lhe fechou as portas, com a seguinte justificativa: "O sonho de sua mãe era vê-lo balconista das Casas Pernambucanas e você desistiu disso. Preferiu ir atrás da aviação, coisa de vagabundo e louco. Vá trabalhar." Rolim tomou dinheiro emprestado de um amigo e conseguiu o brevê.

Aos 21 anos, Rolim Amaro ingressou na TAM. Em 1966, recebeu uma proposta tentadora: ser piloto particular na região do Araguaia. Financiou seu primeiro Cessna 170 para três passageiros, com o qual transportava animais (já que as estradas eram raras), além de roupas e rádios de pilha que vendia para engordar o salário. Dois anos depois, tinha dez aeronaves. Desistiu do negócio quando teve a sétima crise de malária.

Em 1972, Rolim voltou para a TAM como sócio, a convite do passageiro e amigo Orlando Ometto. Adquiriu metade das ações e o restante quatro anos depois. Então realizou seu sonho de pioneirismo, instalando-se nos aeroportos pequenos e antigos das grandes cidades, atento à clientela que precisava poupar tempo.

O comandante modernizou a frota e superou turbulências na trajetória de sucesso. A pior ocorreu em 1996: a queda do Fokker 100, poucos minutos após a decolagem no aeroporto de Congonhas em São Paulo, matando 99 pessoas.

Em julho de 2001, mês em que a Varig perdeu para a TAM a liderança do mercado doméstico pela primeira vez em 40 anos, Rolim Amaro morria aos 58 anos, num acidente de helicóptero perto de Pedro Juan Caballero, no Paraguai. Infelizmente, não viveu para assistir ao maior triunfo de sua companhia aérea e para consolidar o modelo de negócio pioneiro que iniciou.

Rolim e outros realizadores de sonhos deixam a lição de que os obstáculos nem sempre são tão grandes e intransponíveis quanto se imagina. Ao contrário, tornam-se pequenos diante da obstinação de quem acredita nos sonhos. Outra lição é que ninguém consegue realizar sonhos sozinhos. Precisamos sempre cuidar dos sucessores para dar continuidade à obra que iniciamos.

Muitas vezes pensamos em desistir. Se os exemplos brasileiros listados acima não foram suficientes para demovê-lo dessa intenção, leitor, considere também alguns internacionais: Michael Jordan, o *superstar* do basquete mundial, foi cortado do time da escola; Winston Churchill repetiu a sexta série e só aos 62 anos de idade tornou-se o primeiro-ministro da Inglaterra; Alberto Einstein não sabia falar até os 4 anos de idade e só aprendeu a ler aos 7, chegou a ser expulso e não foi admitido na Escola Politécnica de Zurique. Em

1944, a diretora da agência de modelos Blue Book Modeling disse a Norma Jean Baker: "É melhor você fazer um curso de secretariado ou arrumar um marido." Norma ficou conhecida mais tarde como Marilyn Monroe.

Outras vezes, os obstáculos podem funcionar como uma armadilha e desembocar num círculo vicioso: as pessoas não sonham porque não têm tempo nem dinheiro. E por falta de maiores aspirações seguem como estão, sem tempo nem dinheiro exatamente porque não sonham!

A poetisa capixaba Elisa Lucinda me conta, em uma agradável conversa, as várias pedras que encontrou em seu caminho:

> Os obstáculos e os infortúnios do percurso acionam a criatividade para se criar atalhos e novos caminhos diante das barreiras nas estradas oficiais. Sair de cidade de Vitória, no Espírito Santo, para uma cidade grande e competitiva como o Rio de Janeiro, procurando uma porta, um espaço para o reconhecimento de sua obra; mudar de profissão (de jornalista para artista), com a vida aparentemente estabelecida; ser negra nesse país que vive sob o dogma da "boa aparência" como sinônimo de cabelos louros e pele branca, cujo povo de origem negra (a olhos vistos) é visto como cidadão de segunda classe; trabalhar com um gênero de difícil circulação como é a poesia; soma-se a tudo isso uma criancinha no meu colo, que hoje tem 21 anos. De certa forma, todos esses obstáculos

foram também estímulos, porque a dificuldade impõe a criação de uma solução, se você realmente quer vencer e precisa vencer.

Elisa Lucinda tem se guiado nas batalhas pela frase do pensador e teatrólogo francês Antonin Artaud: "Quero estar acordado no sonho e conduzir meu sonho como um homem desperto." Viver de poesia, publicar livros, ser reconhecida e respeitada como atriz e morar numa casa com quintal, jardim e pomar são alguns sonhos que ela já realizou. A poetisa acalenta muitos outros:

> É preciso ter clareza do que se quer, avistar o caminho e decidir como você vai chegar até lá: se de carro, cavalo, carroça, avião, trem, helicóptero, metrô, a pé ou como puder. Essa escolha será a estratégia e o destino, o sonho. Desistir é palavra proibida para quem batalha. Recuar, descansar um pouco é, muitas vezes, sabedoria e estratégia de guerra. É bom de vez em quando dar uma olhadinha no caminho percorrido, para ver a que distância se está do início da viagem até aqui, e daqui até o sonho.

Alguns obstáculos são de fato intransponíveis e, nesse caso, como sugere a poetisa, é preciso saber recuar, mudar de rota, desenhar outra estratégia. Mas muitos obstáculos estão dentro da cabeça das pessoas. O maior de todos é quando se pensa: "Esse sonho não é para mim. É para outro."

A maior barreira é não se considerar merecedor de um sonho. É não acreditar na sua capacidade de lutar. Daí a importância de avaliar objetivamente o peso que os obstáculos têm numa balança que apresente também o outro lado: os estímulos dos quais nem sempre nos lembramos.

O outro lado da moeda: Construa suas pontes...

O que mais motiva os que conseguem transformar sonhos em projetos concretos é a esperança de melhorar a realidade, o meio em que atuam.

Cada realizador de sonhos se apóia em estímulos que podem ser comparados ao combustível que o mantém aceso. A vontade de vencer, de mostrar que é capaz, de construir algo que faça a diferença, de deixar sua marca na história, são motivações poderosas.

Nos últimos anos, várias instituições, como o Banco Nacional de Desenvolvimento Econômico e Social (BNDES), o Sebrae, o Instituto Endeavor e mesmo universidades, assumiram o papel de incentivadores de sonhos, com a abertura de incubadoras de negócios para ajudar microempresários ou empreendedores menos experientes a preparar seu plano de negócios, obter financiamentos, negociar parcerias e decolar. A incubadora de negócios é, na realidade, uma incubadora de sonhos.

Mas os estímulos não se resumem aos aspectos tangíveis. O apoio de outras pessoas também traz uma força considerável, sobretudo na hora em que surgem adversidades. Biografias de cientistas, compositores, empresários e outros personagens de destaque registram a presença de figuras sem as quais o sonho seria praticamente impossível. Anônimas, realizando um trabalho de bastidores, elas são parte fundamental do sucesso. Familiares, mentores, professores, colegas de trabalho, vizinhos e amigos têm desempenhado papel relevante em apoiar, ouvir, escutar, alertar, abrir portas, bancar o "advogado do diabo" e até, em alguns casos, dar a mão quando as coisas parecem desandar.

Desenvolver parcerias eficazes e contar com a "cumplicidade" de pessoas afetivamente relevantes são ações comprovadamente decisivas para a realização dos sonhos de várias pessoas vencedoras.

Anjos da guarda

Quantas mulheres trabalharam à sombra de seus companheiros, inspiradas pelo sonho de fazer o outro brilhar! Zélia Gattai acompanhava o marido, o célebre escritor baiano Jorge Amado, enquanto ele criava seus tipos inesquecíveis. Familiares e amigos sabiam que a grande contadora de histórias era Zélia, que não se animava a escrever. De tanto a filha Paloma insistir, ela finalmente concordou. Aos 63 anos, publicou *Anarquistas graças a Deus* e tomou gosto pelo ofício. Conquistou brilho próprio e se tornou, também, uma importante escritora. Veio, inclusive, a ocupar uma merecida vaga na Academia Brasileira de Letras.

Antes, Zélia devotou-se aos filhos, ao marido e à casa. Uma de suas raras incursões profissionais foi como mercadora de arte, em sociedade com a cunhada Fanny. A atividade começou a tomar cada vez mais seu tempo e a exigir viagens constantes, deixando Jorge Amado sozinho na Bahia. Ela conta no livro *A Casa do Rio Vermelho*:

> Jorge não se queixava, mas senti que ele não estava contente, nem um pouco contente. Ora, se tudo o que eu desejava na vida era fazer Jorge feliz e ser feliz com ele, por que diabo eu me metera naquela empreitada, arriscando a tranqüilidade de nossa vida, arriscando até a estabilidade do nosso amor? Não tive dúvida: desisti de vender quadros.

Outro significativo exemplo de trabalho de bastidores é dado pela ex-primeira dama Sara Kubitschek enquanto lutava para resgatar a memória do marido. Em 1979, conseguiu do governo militar um decreto aprovando a construção do Memorial JK para homenagear o criador de Brasília. Esse é considerado o primeiro marco no processo de abertura política brasileira, que se consolidou nos anos seguintes. Juscelino Kubitschek foi cassado pelo regime militar, viveu no exílio na Europa e morreu em agosto de 1976, num acidente de carro até hoje não devidamente esclarecido.

O apoiador do sonho alheio pode ser feliz se tem consciência de que este é seu caminho, se escolheu a doação, se não foi sufocado nem apagado pelo talento do outro.

Raul Cortez, saudoso ator brasileiro, destacou a importância dessas figuras anônimas num dos depoimentos mais sensíveis do livro *Quando os sonhos se tornam realidade*, de Rosana Beni e Luciano Szafir.

Raul contou que na infância passava horas recortando figurinhas de gibi e as utilizava para criar personagens e enredos. Tudo com a cumplicidade da irmã: "Para ela, eu inventava histórias maravilhosas e, por fim, tinha maior satisfação porque sempre era aplaudido." Raul chegou a proibir a irmã de ir ao cinema só para poder contar o filme a ela depois. "Era um imenso prazer encenar, à minha maneira, a história à qual eu havia assistido. Minha irmã, por sua vez, embarcava nos meus sonhos e os vivia junto comigo."

Raul Cortez lembra-se com carinho dessas passagens e ressalta a importância do sonho em sua vida:

> Sonhar é fundamental para que a gente vá alimentando a alma com aquilo que se pretende atingir. [...] Tive obstinação para perseguir o meu e aprendi que, errando

muito, a gente acaba acertando. Eu me dei ao luxo de viver minhas experiências, e foi isso que me fez um ator e também uma pessoa melhor, que tem fé e persegue seus objetivos.

Leitor, chegou a hora de você listar os obstáculos e os estímulos para a realização dos seus sonhos.

1) Relacione os 5 principais obstáculos para concretizar seus sonhos.

a)..

b)..

c)..

d)..

e)..

Exemplo: O medo de ficar desempregado.

2) Identifique os 5 principais estímulos à realização desses sonhos.

a)..

b)..

c)..

d)..

e)..

Exemplo: O incentivo de amigos que não agüentam mais me ver infeliz no meu emprego.

3) Identifique os seus anjos da guarda.

4

DA CABEÇA PARA O PAPEL: TRANSFORME SONHOS EM PROJETOS

É de sonho e de pó, o destino de um só
Feito eu perdido em pensamentos
Sobre o meu cavalo

Romaria, Renato Teixeira

Como realizar meus sonhos? Como construir um plano para ser feliz? Por onde começar a invenção do futuro? Essas perguntas já me assaltaram, e uma ferramenta valiosa me ajudou a responder a elas. Eu a descobri quando fazia o mestrado em Administração na Universidade de Vanderbilt, Nashville, Tennessee, berço da música *country* norte-americana.

Edwin Bartee, então meu professor do curso de Estratégia de Mudança, desenvolvera em 1973 a Metodologia da Resolução de Problemas. O ponto de partida foi a chamada "Análise do Campo de Forças", idéia desenvolvida na Alemanha em 1947 por Kurt Lewin para explicar fenômenos sociológicos. O cientista objetivava demonstrar o equilíbrio entre forças impulsoras e forças restritivas, que estabelecem os obstáculos e os incentivos para que determinados fenômenos estejam em uma "situação atual" e não em uma "situação desejada".

A metodologia desenvolvida pelo professor Bartee tanto podia ser aplicada em pessoas como em grupos, empresas e comunidades. Meu foco de interesse era o contexto empresarial. Havia entre os executivos americanos certo desconforto pelo fato de as empresas não evoluírem sempre, como se estivessem em linha reta. A economia vivia um momento de recessão, causada pela primeira crise do petróleo do pós-guerra e era difícil para eles aceitar o fato de que a trajetória de qualquer empresa é marcada por altos e baixos, mais como uma espiral do que uma linha reta.

A metodologia visava a ajudar esses empreendedores a:

- Fazer o diagnóstico da situação atual;
- Desenvolver uma visão mais clara da situação desejada;
- Identificar os obstáculos e estímulos no caminho;
- Definir as linhas de ação para chegar à situação desejada.

Tive a chance de aplicar a metodologia lá mesmo nos Estados Unidos, em 1976, numa avaliação do Sistema de Saúde no Estado do Tennessee. Mais tarde passei a chamá-la de "Metodologia da Situação Desejada", ao utilizá-la em dezenas de oportunidades com várias empresas brasileiras.

Ao possibilitar uma análise clara da situação atual e uma projeção da situação desejada, a metodologia permite programar ações direcionadas ao objetivo, sem desperdiçar tempo com detalhes de pouca relevância. Portanto, meu mestrado proporcionou não só um ganho profissional, mas também uma ferramenta para uso pessoal. Além de aprender técnicas, o professor Bartee estava me ensinando a pensar de forma mais prática, analisando sempre os prós e os contras da caminhada para chegar aonde desejamos. Como filho de bom pescador, eu pensava com meus botões: “O cara está me ensinando a pescar, em vez de simplesmente me dar o peixe...” Este conhecimento foi muito útil em várias ocasiões. Destaco uma.

Aproximava-se o Natal de 1999. Sentado numa pedra na praia perto do Farol de Itapuã, na capital baiana, eu curtia o vaivém do mar enquanto pensava no meu futuro.

Estava na hora de mudar, deixar a vice-presidência da Odebrecht of America Inc. e iniciar vôo solo, contribuir com outras empresas brasileiras, para se tornarem mais competitivas, a partir da experiência que adquiri no exterior durante quase duas décadas de trabalho como executivo.

O caminho eu já começara a pavimentar desde 1998, escrevendo artigos para a mídia aqui no Brasil e fazendo palestras para algumas empresas. O passo seguinte seria o mais difícil: deixar o conforto e a segurança de uma grande organização para atuar como consultor empresarial. Ou seja, poder ajudar várias empresas colocando a serviço delas o que eu tinha vivido e aprendido e assim tornar útil meu conhecimento.

Mentalmente, como se estivesse defronte de um tabuleiro de xadrez, eu organizava as jogadas seguintes, uma a uma. Tinha múltiplos sonhos: queria escrever um livro; cuidar mais da minha saúde após uma década de sedentarismo e pouca dieta; ajudar empresas brasileiras a se internacionalizarem.

Já tinha realizado o chamado "sonho americano": casa confortável nos arredores de Washington, carro de luxo na garagem, prestígio do cargo numa grande empresa vencedora, filhos pequenos nascidos em território americano e estudando em distrito escolar sofisticado. Mas queria trazê-los ao Brasil para conviverem mais com nossa cultura de informalidade, jogo de cintura, flexibilidade; queria sair daquela cultura impessoal que estava me tornando uma pessoa triste.

Quantos sonhos rodaram na minha cabeça e no meu coração naquela manhã de sol testemunhada pelo Farol de Itapuã! Pedi que o farol iluminasse minha travessia em mares que poderiam ser revoltos e levantei-me decidido a ir à luta e implementar meus sonhos.

Da cabeça para o papel

À tardinha, segui para o aeroporto e durante as duas horas de vôo para o Rio de Janeiro, transferi os projetos que havia traçado em minha mente para o único papel disponível: o verso daquele saco de papel que as companhias aéreas deixavam no encosto da poltrona da frente ao nosso assento. Com esse "guia" nas mãos, continuo trabalhando e perseguindo meus sonhos. Minhas ações têm sido coordenadas e assim produzem resultados mais eficientes. Tenho voltado ao Farol de Itapuã, guardião dos meus sonhos, sempre acompanhado desse saco de papel, guardião dos meus projetos. Já os refiz pelo menos quatro vezes.

Sempre achei que quem desconhece o porto de destino fica à mercê da vontade dos outros. É um eterno insatisfeito. Não identifica as vitórias, não celebra. Perde-se diante das opções. É engolido pela rotina: outro relatório urgente, mais uma reunião importante, o filho doente, o telefone tocando... Termina uma semana, começa outra. O tempo voa. E o sujeito não sai de onde está. Não decola! Por isso, preservo o hábito de sempre colocar no papel idéias e sonhos. Vou analisando um por um até o momento de decidir se devo ou não persegui-los como uma meta a ser alcançada.

Ainda naquele ano de 1999, aconteceu outro fato marcante. Eu estava em Búzios, litoral carioca, fugindo da neve de Washington, onde residia, quando recebi um telefonema do meu pai que morava no Rio. Ele queria que o levasse à queima de fogos na praia de Copacabana, algo que ele nunca havia presenciado. Estava muito doente e achava que aquele provavelmente seria seu último réveillon.

Eu não podia deixar de atender a esse pedido. Pedi carona a um amigo brasileiro que eu conhecera como funcionário de uma instituição financeira nos Estados Unidos. Após cerca de 10 quilômetros de viagem, meu amigo perguntou: "Que horas são?" Respondi que passara um pouco das seis da tarde. Aí ele comentou baixinho: "Daqui a menos de seis horas esse ano desgraçado vai embora, mas a gente fica..."

Passaram-se cinco minutos, e de repente o carro derrapou, fugiu do controle e capotou três vezes. Eu me lembro de ter visto tudo de cabeça para baixo. Ele perdeu a direção numa curva onde havia um defeito de construção na estrada. Semanas depois, três jovens morreriam naquele mesmo lugar. Conosco nada aconteceu além do susto, só tive um pequeno corte no pé. Não sei como, porque estava usando sapatos. O carro ficou tão amassado que na hora em que saímos dele havia populares em volta chorando. Pensavam que tínhamos morrido. O carro era de aluguel e não tinha seguro. O prejuízo custou uma "pequena fortuna" na época.

Regressei ao ponto de partida, tomei um banho e parti novamente para o Rio, em outro carro, com o mesmo amigo dirigindo. Pelo caminho fui pensando nas decisões que havia tomado no Farol de Itapuã, na semana anterior, e naquelas metas que havia escrito no saquinho do avião. Aquele acidente me deu forças para mudar. Ocorreu numa data simbólica, 31 de dezembro de 1999, a poucas horas da entrada no ano 2000. Interpretei a virada do carro como um sinal de que devia seguir meus sonhos e fazer a minha virada pessoal. Então me enchi de coragem e comecei a implantar passo a passo os meus projetos.

Virei de cabeça para baixo, literalmente. Mas não é necessário capotar um carro para decidir realizar nossos sonhos.

Faça seu Plano de Ação

É um plano de ação a partir de um acurado diagnóstico da situação atual; clara visão da situação desejada; prioridades estabelecidas; e metas claras a cumprir, que permitirão transformar o seu sonho em projeto.

O primeiro passo é transferir o sonho da cabeça para o papel. Faça isso. Transforme seus sonhos em projetos. Construa, então, seu plano de ação.

Se encontrar dificuldade, siga o passo-a-passo disponível no site: www.tamanhodosseussonhos.com.br.

Coragem! Mexa-se!

5

DO PAPEL PARA A REALIDADE: AGORA É HORA DE AGIR!

E o mundo vai ver uma flor
Brotar do impossível chão.

Sonho impossível, versão de
Chico Buarque e Ruy Guerra

Um plano prevendo ações detalhadas para o período 1995-2000 foi o ponto de partida para a grande virada que Edson de Godoy Bueno, presidente da Amil, iniciou em sua vida e na trajetória de sua empresa. Foi o que o empresário me revelou durante uma conversa.

> Não podemos deixar as coisas ao acaso. Devemos estar preparados para agarrar as chances. Você tem de olhar para o curto prazo, mas sua visão de longo prazo é o que vai dizer aonde você quer chegar.

Os sonhos de Godoy Bueno têm sido verdadeiros alvos móveis. Aos 15 anos, em 1958, sonhou em ser médico. Queria cursar a Escola de Medicina, na Praia Vermelha. Aos 27, o desejo era ter um hospital, a Casa de Saúde São José, erguida em Duque de Caxias, na baixada fluminense. Aos 33, a meta era criar a Amil. Onze anos mais tarde, o objetivo era transformá-la no melhor plano de saúde do Brasil.

Em 1996, passou a se dedicar a outro sonho: fazer da Amil a melhor empresa de saúde do mundo. “Quem pára de sonhar está morrendo”, afirma esse “mercador de sonhos”, segundo o qual as pessoas deveriam trazer dentro de si uma enzima provocadora e desafiadora, a “insatisfatina”, que as impedisse de se acomodar dentro de sua zona de conforto. “Jamais permita que suas glórias sejam maiores que seus sonhos”, ensina o empresário.

O mapa de sonhos de Edson de Godoy Bueno para aquele período de cinco anos dividia-se em dois blocos: de um lado, o conjunto empresa / negócios / profissional; e do outro, os sonhos de natureza pessoal / familiar. No primeiro, o objetivo era transformar a Amil numa multinacional; o caminho para atingi-lo consistia em desenvolver outras pessoas. O empresário programou 23 ações para cinco anos, algumas específicas para gerentes executivos, outras voltadas aos demais colaboradores e um terceiro grupo tendo em vista a comunidade empresarial. Godoy Bueno pretendia colaborar com sua comunidade e seu país realizando palestras e criando a Escola Amil de Administração.

No segundo bloco, o alvo era o crescimento pessoal. Estabeleceu 31 ações divididas em estudos culturais (como Antropologia, Música, Arte e Ecologia), habilidades para compreender o ser humano (princípios da Psicologia, estudos do funcionamento da mente), manutenção do corpo (tênis, dieta, exercícios anti-stress), idiomas (estudo do espanhol), imagem (palestras no Brasil e no exterior), família (mais tempo juntos), relação com o universo (curso de Filosofia) e lançamento de um livro.

O presidente da Amil atribui muito do seu sucesso a esse plano de vida. Depois de organizar suas metas, passou a delegar tarefas e ganhou tempo para assuntos estratégicos. Uma das metas que traçou para a empresa foi inspirada no ex-presidente Juscelino Kubitschek: "Fazer trinta anos em cinco." A Amil tem crescido de forma consistente, e as metas têm sido superadas ano após ano.

Recentemente, uma gigante do ramo de seguro-saúde tentou comprar a empresa por uma soma aparentemente irrecusável. Edson resistiu. "Você vai vender seu sonho? Eu não quis vender o meu!" Esse médico, que começou a vida como engraxate, até hoje guarda a caixinha com as graxas e escovas utilizadas em seu primeiro ofício. Foi também jogador de futebol na Ferroviária de Araraquara, interior paulista. Deixou o gramado porque a miopia o impedia de enxergar a bola nos jogos noturnos. O futebol perdeu outro Edson, mas o Brasil ganhou um empresário que faz escola.

Dê vida ao que está no papel

Algumas sugestões práticas podem auxiliar na hora de tirar os sonhos do papel e transformá-los em ações concretas:

Use seu tempo de forma disciplinada

Dedicar quase todo seu tempo à sua rotina diária é sinal de que algo está errado. Você tem de ser disciplinado para arranjar espaço na sua agenda para a ação em prol de seus sonhos. O melhor jeito de ganhar tempo é eliminando tarefas inúteis e burocráticas. Por exemplo, passar muitos minutos ou até horas na Internet, gastar tempo precioso se metendo na vida alheia, ou desperdiçar a vida diante de programas de qualidade duvidosa na TV.

Aprenda a dizer não

Faça isso quando algo não convier a seus sonhos. Quem quer fazer tudo ao mesmo tempo acaba não fazendo nada. Estabeleça prioridades e invista suas energias nelas. Não se acumule de tarefas pela dificuldade de colocar limites nos outros.

Delegue o que não faz parte do sonho

Em vez de desperdiçar energia com tarefas menos importantes, que pouco acrescentam a seus planos, passe-as adiante para outros fazerem. Lembre-se sempre da mensagem do personagem principal do filme *Fitzcarraldo*: a rotina é uma ilusão que criamos para impedir a realidade dos sonhos. O que você não pode terceirizar é seu sonho.

Eleja um apoiador para cada sonho

Pode ser um funcionário que tomará providências práticas para o seu sonho profissional, um amigo que fará contatos importantes ou lembrará você de cuidar da saúde, um vizinho que possa ajudá-lo a implementar o sonho comunitário. O apoiador é uma pessoa de quem você "cobra" ações, mas que também pode lhe fazer "cobranças", mesmo que indiretamente, para você perceber que não está dedicando tempo suficiente ao sonho.

Escolha uma imagem para simbolizar seu sonho

Imagine agora qual será seu símbolo. O Farol de Itapuã desempenha esse papel para mim; a Escola de Medicina na Praia Vermelha, para Edson de Godoy Bueno; o sofá, para Rosa Bernhoeft. Escolha uma imagem que simbolize o sonho que quer realizar. Pode ser algo que exista apenas em sua mente ou uma figura real que remeta a seu compromisso.

Alvos móveis

É fundamental ter a consciência de que as soluções adotadas hoje poderão perder a validade amanhã. O mapa de sonhos é dinâmico; requer revisão constante e flexibilidade para incorporar os ajustes que se tornam necessários com o tempo. Daí a importância de fazer um planejamento voltado não apenas para o momento atual, mas atento ao cenário futuro.

À medida que uma empresa ou uma pessoa avança em direção a seu objetivo, surgem crises, os problemas ficam mais difíceis. Mas, se você se preparar, também poderá aumentar a sua capacidade de lidar com as adversidades.

Esse processo não tem fim. O sucesso não implica a ausência de problemas, mas a capacidade de equacioná-los bem. Progresso envolve a habilidade de resolver problemas e enfrentar desafios crescentemente complexos.

Grandes problemas bem equacionados podem trazer extrema felicidade. Pequenos problemas mal equacionados podem trazer muito sofrimento. Enfrente-os assim que os perceber. Não subestime as pequenas dificuldades, elas podem crescer e virar uma incômoda "pedra no sapato".

Tirar o sonho do papel e começar a agir na realidade exige sacrifício, determinação, coragem, criatividade e muito empenho.

Fazer uma escalada no Everest era o sonho de Luciano Pires, executivo de uma multinacional. Uma pessoa comum, fazendo algo incomum, como ele definiu no livro O *meu Everest — Realizando um sonho no teto do mundo*:

> Todos os livros que li sobre o Everest foram escritos por gente, digamos, "incomum". Aventureiros profissionais,

alpinistas, super-homens que parecem não sentir fome, frio, dor de barriga ou cansaço. Eu senti tudo isso.

A viagem dos sonhos de Luciano não começou em março de 2001, quando ele partiu de São Paulo para Kathmandu, mas um ano antes. Ele viveu cada preparativo com muita emoção. O tremor ao receber o primeiro e-mail da agência que organizaria o *trekking*, a compra dos materiais, a dificuldade de escolher uma bota adequada, os treinos realizados nas trilhas de Itatiaia, no estado do Rio de Janeiro. Até chegar às inesquecíveis experiências transcorridas no Himalaia.

> O meu Everest é diferente de qualquer outro. Ele é feito de uma montanha, de um país distante, de expectativas, de medos, de desafios, de constatações, de deslumbramentos, de sensações muito próprias.

A grande atriz Fernanda Montenegro, unanimidade nacional, também saboreia muito sabiamente o prazer da "travessia". Ela queria ser secretária bilíngüe, mas em 1950, quando estreou no teatro, descobriu sua verdadeira paixão. Ao longo de cinqüenta anos, fez 100 peças, 12 novelas de TV e 12 filmes. Chegou onde nenhuma atriz brasileira jamais esteve: sua interpretação magistral no filme *Central do Brasil*, de Walter Salles Júnior, conquistou o reconhecimento internacional e a indicação para o Oscar de melhor atriz em 1999. A estatueta foi para Gwyneth Paltrow pela atuação em *Shakespeare apaixonado*. Fernanda não se abalou. "Uma brasileira entrar no seleto grupo de cinco concorrentes já foi uma façanha para ser guardada para sempre na história do cinema brasileiro", disse, satisfeita. E continuou a trabalhar com o profissionalismo de sempre. Uma lição de vida e de sabedoria!

E, finalmente, mais uma regra de ouro que ajuda na travessia da transformação do sonho em realidade: celebre sempre! Nas empresas, é comum celebrar apenas quando se alcança o resultado final — e sobrar bronca para os mais diversos níveis hierárquicos quando as metas parciais não são cumpridas. Essa é uma das maiores fontes de desestímulo em todos os campos — na empresa, na escola, em casa —, quando chefes, professores e pais acabam por não incentivar os sonhos e o empenho de funcionários, alunos e filhos.

É preciso comemorar na hora do gol. Correr, vibrar, fazer o batuque. A celebração a cada ponto motiva a equipe a lutar pelo ponto seguinte.

Por isso, é importante celebrar cada vitória com a família, os amigos e todos os que apóiam seu sonho. Viva intensamente todo o processo que envolve a realização de objetivos. Lembre-se de que um objetivo pode ser pensado como um sonho com data marcada. Aprecie a travessia, e não apenas a chegada. A felicidade não é o fim — está no todo. Não está apenas na reta de chegada, pode estar ao longo do percurso. Não desperdice as pequenas vitórias, mesmo que parciais. Mas, à medida que for conquistando vitórias em direção ao seu sonho, lembre-se de que, assim como no futebol, o jogo só termina após os noventa e poucos minutos. E você já deve ter visto seu time perder nesses momentos finais.

Evite as armadilhas do sucesso

Zico foi um dos grandes craques do futebol brasileiro. Organizava o time, armava o jogo, desmoronava as defesas dos adversários e fazia gols incríveis. Como o maior ídolo do Flamengo, defendeu a camisa rubro-negra por 22 anos, marcando 831 gols. Saliento desde já que sou vascaíno, o que só faz aumentar o respeito que tenho pelo craque, que colecionou títulos nacionais e estaduais. É o terceiro artilheiro da seleção brasileira, atrás apenas de Pelé e Romário. Mas não teve a alegria do título mundial. Perdeu um pênalti contra a França nas quartas-de-final na Copa de 1986, realizada no México, o que custou a desclassificação do Brasil. Era sua última Copa do Mundo como jogador de futebol. "Esse lance vai me perseguir pelo resto da vida", disse na ocasião.

Zico voltou a sonhar com a Copa da França em 1998, dessa vez na condição de coordenador técnico da seleção comandada por Zagalo. Ajudou o Brasil a chegar à final, mas o time caiu para os donos da casa, a mesma França de 12 anos antes. O fracasso inacreditável foi atribuído ao impacto da convulsão sofrida pelo atacante Ronaldo, outro jogador excepcional que também sonhava com a conquista da Copa.

As duas histórias, de Zico e Ronaldo, ilustram as armadilhas do sucesso e o esforço necessário para gerenciá-lo com eficácia em todos os momentos, principalmente nos "momentos da verdade". Engana-se quem supõe que o sucesso é o objetivo final da vida. É apenas o começo. Se a partir daí a trajetória pessoal não for muito bem gerenciada, o sucesso pode se converter em fracasso.

Após o vexame no Stade de France, Ronaldo sofreu contusões violentas que o afastaram por 17 meses das partidas oficiais e levantaram o temor de que jamais voltaria a jogar com a mesma eficiência dos primeiros anos de carreira. Sonhando com o penta, ele superou os prognósticos mais sombrios. Na Copa da Coréia e Japão, em 2002, voltou a mostrar seu futebol arrasador. Fez gol em todas as partidas, inclusive os dois na final que garantiram ao Brasil a conquista de mais um Campeonato Mundial de Futebol.

Zico deu a volta por cima de outra forma: fundou uma escolinha de futebol que ajuda a tirar crianças da rua, tornou-se treinador da seleção japonesa, fez incursões como comentarista esportivo e teve atitude muito íntegra quando renunciou ao cargo de Ministro de Esportes no início da década de 1990 durante o governo Collor.

Muitas vezes, gerenciar o sucesso é tão difícil quanto administrar o fracasso. Há diversos exemplos de pessoas notáveis que ficaram conhecidas não por seus melhores feitos, mas pela incapacidade de administrar o sucesso.

Roberto Baggio, artilheiro e capitão da seleção de futebol italiana, eleito o melhor jogador da Europa e do Mundo em 1993, só é lembrado agora pelo pênalti que perdeu contra o Brasil na final da Copa do Mundo de 1994, nos Estados Unidos.

Mike Tyson, boxeador campeão dos pesos pesados e autor de nocautes históricos, foi preso sob acusação de estupro. E ao retornar ao esporte, em 1997, protagonizou uma cena bizarra com o adversário, Evander Holyfield, e ficou um ano banido do boxe.

Michael Jackson, um ícone da cultura pop dos anos 1980, ao longo da carreira faturou mais que qualquer artista em atividade, cerca de US$ 1 bilhão. Agora, à beira da falência, tem aparecido na mídia por conta de suas esquisitices e atitudes bastante questionáveis.

Vários são os exemplos aqui no Brasil de empresários, políticos, artistas, esportistas que não souberam administrar o sucesso e acabaram fracassando por causa dele.

O sucesso cria situações com as quais as pessoas nem sempre estão preparadas para lidar. Alimenta ciúmes, inveja, ressentimentos. É preciso saber administrar essas energias para evitar o erro da maioria, que fica refém das principais "armadilhas do sucesso".

Vaidade pessoal

O sucesso traz satisfação e eleva a auto-estima, o que é positivo até certo ponto. A confiança excessiva poderá ser prejudicial se fizer a pessoa subestimar as críticas e deixar de ouvir as opiniões de colaboradores de bom senso ou de pessoas próximas.

Acomodação

Em vez de ficar olhando para trás, olhe para o futuro. Pense no que ainda pode fazer, conquistar, aprender.

Repetição do que deu certo

Os acertos apontam caminhos, da mesma forma que os erros. Mas o comportamento obsessivo de ficar repetindo sempre o que funcionou no passado pode inibir a criatividade, impedir a descoberta de soluções mais adequadas ao momento atual, coibir qualquer possibilidade de mudança. O mundo caminha rápido. Estratégias que deram certo hoje podem ficar ultrapassadas amanhã; daí a importância do aprendizado constante.

Arrogância

Embriagada pelo sucesso, a pessoa muitas vezes se considera intocável. Pouco antes de ser divulgado o escândalo dos balanços maquiados da Enron, gigante de energia dos Estados Unidos, um de seus diretores fez uma análise do cenário futuro: disse que não via as ações de sua empresa valendo menos que US$ 50. Seu valor caiu para US$ 0,5. A cegueira foi provocada pela onipotência e arrogância, além dos deslizes éticos que surpreenderam o mercado.

Perda da sensibilidade

O empresário bem-sucedido tende a ficar isolado, numa sala exclusiva, longe do que se passa no mundo real. E assim vai perdendo contato com os clientes, fornecedores e colaboradores. O artista se distancia de sua realidade, quebra o vínculo com os amigos de infância, afasta-se do público e acaba vivendo uma fantasia. Os escândalos que ocorrem nas grandes empresas quase sempre têm origem no distanciamento da realidade dos altos executivos, embalados pela promessa de bônus fantásticos.

Conselhos de pessoas erradas

Bem-sucedidos tendem a ser rodeados de aduladores que alimentam sua vaidade, mas sonegam informações vitais. Escondem a verdade para poupá-los e agradá-los. Assim, as pessoas passam a agir e decidir em cima de uma "realidade" fictícia. A capacidade de analisar as situações vai ficando deteriorada.

Falta de autodomínio

Dinheiro, poder, bens de consumo extravagantes e hábitos desregrados podem exercer uma atração fatal. É como se a pessoa ficasse "dependente" desse combustível externo. A bebida e a droga também exercem esse efeito nocivo. O bem-sucedido acaba perdendo a noção de limite. Diego Maradona, o maior craque do futebol argentino, responsável por expressivas vitórias do seu país em campeonatos mundiais, protagonizou um vexame na Copa dos Estados Unidos, em 1994. O exame antidoping acusou a presença de uma substância proibida, a efedrina. Foi expulso da Copa, brigou com dirigentes, torcedores e acabou preso pelo consumo de drogas. A nova oportunidade de recuperar sua desgastada imagem surgiu, agora, como técnico da Seleção de Futebol do seu país.

Mané Garrincha é nosso exemplo mais triste. Com seu drible desconcertante, foi o maior ponta-direita de todos os tempos no futebol mundial. Morreu pobre em 1983, destruído pelo vício do álcool. A irreverente cantora Britney Spears, ídolo dos adolescentes, perdeu a guarda de seus dois filhos para o ex-marido devido a problemas com as drogas.

Sem perder o norte

Há também exemplos positivos de empresas que souberam lidar com o sucesso. A Marcopolo, fabricante brasileira de carrocerias situada em Caxias do Sul, Rio Grande do Sul, é líder absoluta de mercado. De suas quatro fábricas saem 25 mil carrocerias por ano. Já opera na China, México, África do Sul e exporta para o Oriente Médio, Estados Unidos, América Latina. Apesar de todo o sucesso, seu presidente, Paulo Bellini, que fundou a empresa há quase cinco décadas, diz: "Não vamos andar um milímetro a mais do que suportam nossas pernas." Segue em frente com cautela, respeitando a máxima da empresa: "Mesmo na liderança, há sempre algo a mais a fazer pelo cliente." Tanto é que a empresa se notabilizou por atender a pedidos exóticos, como os dos clientes sauditas que encomendaram vários ônibus com teto removível para ajudar a missão dos peregrinos que vão a Meca.

Um ditado popular diz que "do topo só há um caminho: para baixo". A Marcopolo prova que há outro: atender ao sonho de seus clientes para continuar no cume.

Algumas medidas ajudam a escapar das armadilhas do sucesso e preservar o norte. Veja o que é preciso fazer para gerenciar bem o sucesso:

- Entender o sucesso como instrumento, não um fim em si mesmo. Um instrumento para viabilizar outros sonhos, ajudar os outros ou a comunidade;
- Saber que o sucesso de hoje não garante sucesso no futuro. O bom resultado pode ser momentâneo, por isso é preciso estar sempre evoluindo. O verdadeiro vencedor não é quem fica contabilizando os lucros imediatos. É aquele que contabiliza as realizações feitas como ponto de partida para outras;
- Reconhecer a participação dos outros em sua vitória. Não dá para realizar o sonho sozinho. Vencedores necessitam de aliados;
- Cercar-se de gente independente e de confiança, que tenha a coragem de dizer verdades, por mais dolorosas que sejam, e relatar os fatos sem distorções. Fique longe dos bajuladores! Eles podem destruir você;
- Não se afastar das fontes de sucesso. Estar sempre em contato com os clientes, fornecedores, funcionários, comunidade, público, amigos, família, colaboradores.

Obras inacabadas

Falar de sucesso e fracasso remete a obras inacabadas. O gênio Leonardo Da Vinci foi um campeão nelas. Fazia de tudo um pouco e deixava seus patrões furiosos porque nem sempre terminava os trabalhos. É o caso da tela *São Jerônimo*, atualmente no Vaticano. Nenhuma das esculturas que o artista italiano projetou chegou a ser concluída.

A obra inacabada pode ser comparada a um sonho interrompido. Ou se retoma no futuro ou pode, pelo menos, servir de inspiração para pessoas que vierem depois. A continuação da obra inacabada pode se transformar no sonho de alguém, como Viviane Senna, que dedicou a vida ao Instituto Ayrton Senna, idealizado pelo piloto pouco antes de morrer, em 1994. "Se a gente quiser modificar alguma coisa, é pela criança que se deve começar", dizia ele. A frase foi um dos destaques da exposição "Ayrton Senna — Meu Sonho Não Tem Fim", na Pinacoteca do Parque Ibirapuera, em São Paulo, em maio de 2001. Viviane transformou o sonho de seu irmão numa instituição respeitada que atende milhares de jovens nos mais variados projetos, da área educacional à esportiva.

O sonho inacabado pode suplantar os desejos pessoais. Maria Rita Pontes trabalhou durante onze anos na Odebrecht. Seu sonho era implantar a área de comunicação na empresa e estava empenhada nele quando precisou amparar a tia, a Irmã Dulce, que havia adoecido gravemente e empreendera um trabalho pioneiro de assistência às comunidades carentes em Salvador. Ela conta:

> Pensei que fosse só por três meses. Mas a certa altura tive de fazer uma opção. Abri mão do meu sonho

em nome do sonho da minha tia, que era muito mais forte que o meu.

Pessoas com o desprendimento de Viviane Senna e Maria Rita Pontes não são tão fáceis de achar. Portanto, acabe sua obra. Não delegue a tarefa a ninguém. Se não for possível realizar o sonho todo, faça ao menos uma parte; ou identifique desde já os potenciais sucessores de sua obra e comece já a motivá-los. Esse é um dos principais desafios da maioria dos empreendedores brasileiros que infelizmente teimam em formar seguidores, em vez de treinar outros líderes. Os realizadores que desejam a longevidade de seus sonhos sabem que precisam identificar, motivar e comprometer sucessores para que sua obra se transforme em um legado ao longo do tempo. Neste sentido, o exemplo dado por Norberto Odebrecht é um dos melhores modelos de sucessão planejada, harmônica e eficaz no cenário empresarial brasileiro. A tal ponto que seu sucessor, Emílio — após colocar a empresa em um novo patamar ao diversificar os negócios da empresa e hastear a bandeira da construtora em 17 países —, também soube formar a terceira geração e já passou, de forma bastante competente, o bastão para Marcelo Odebrecht consolidar o sonho empreendedor iniciado em 1942.

Leitor, é hora de agir, faça acontecer!

1. Enumere 5 prioridades dentre todas as ações que você pensou até o momento para viabilizar seus sonhos de uma forma equilibrada.

1)..

....

2)..

....

3)..

....

4)..

....

5)..

....

2. Para cada prioridade listada, defina uma linha de ação, os recursos de que necessitará, os apoios que buscará, a data limite para concretizar cada ação.

1)..

....

2)..

....

3)..

....

4)..

....

5)..

....

3. Quais as principais armadilhas do sucesso que você deve evitar daqui para frente?

....

....

....

....

....

....

....

....

....

....

....

....

....

....

....

....

....

....

....

6

AS 11 ATITUDES DOS REALIZADORES DE SONHOS

Mas é preciso ter manha,
é preciso ter graça
É preciso ter sonho, sempre
Quem traz na pele essa marca
Possui a estranha mania
de ter fé na vida

Maria, Maria, Milton Nascimento
e Fernando Brant

Estava me preparando para um fim de semana festivo, quando um telefonema na madrugada de uma quinta-feira me colocou diante da mais dramática situação da minha vida. Pessoas do meu círculo de relacionamento que trabalhavam em Angola para diversas empresas internacionais me avisaram que a guerra civil naquele país africano estava prestes a recomeçar de forma violenta. Tropas do governo já se movimentavam para enfrentar as unidades militares da guerrilha que combatia o governo angolano havia décadas. A Odebrecht, empresa da qual eu era diretor na área internacional, tinha cerca de 1.400 pessoas trabalhando lá. A empresa precisava garantir a segurança dos funcionários e iniciar imediatamente a retirada desse enorme contingente de pessoas.

No dia seguinte, um sábado úmido e quente, após intensos preparativos e providências, aterrissamos no aeroporto da capital angolana, Luanda, com dois aviões DC-10 fretados. Era o dia 31 de outubro de 1992. Estávamos a bordo Renato Baiardi, presidente executivo da empresa, e Otacílio de Carvalho, futuro diretor-presidente das operações em Angola. Na época, eu residia em Washington, Estados Unidos, e era responsável pelo apoio estratégico aos dirigentes nos vários países em que a empresa atuava.

Àquela altura, o aeroporto já passara a ser uma base militar e não tinha mais o movimento normal de chegada ou partida de aviões comerciais. Centenas de funcionários da empresa já aguardavam no aeroporto, ansiosos, a hora de sair daquele caldeirão. Não havia tempo a perder. Baiardi ordenou que um dos aviões decolasse com o maior número possível de pessoas, imediatamente após o reabastecimento. Pegamos um carro em direção ao alojamento da empresa, a 20 ou 30 minutos de distância. No percurso, ouvíamos alguns tiros de artilharia pesada. As ruas, sempre repletas de gente, estavam vazias naquele dia. Em alguns lugares despontavam barreiras militares.

Quando nos reunimos – Baiardi, Otacílio, os dirigentes locais Paulo Lacerda, Delmar, Bucalon e Francisco Prisco, e eu – na escola que a empresa construiu no acampamento, para decidir como proceder à retirada dos demais, fomos surpreendidos pela explosão de uma granada. Logo em seguida, ouvimos tiros de artilharia e de metralhadora e corremos para uma trincheira construída no acampamento. A guerra já tinha estourado, só nos restava acelerar a retirada do nosso pessoal.

O transporte dos que não tinham chegado ainda ao aeroporto estava sendo feito em ônibus, escoltados por dois jipes com batedores fortemente armados, destacados pelo governo angolano para nos dar proteção. Os ônibus deixariam o acampamento a intervalos de trinta minutos, tempo necessário para a escolta acompanhar um grupo até o aeroporto e retornar para buscar o outro. Fui no último, um microônibus conduzindo 18 pessoas, entre enfermeiras, auxiliares, cozinheiro. Eram 14 homens e 4 mulheres, uma delas grávida. O clima dominante era de pavor. Alguns rezavam, outros choravam. Meu medo era tanto que já nem o sentia. Levava comigo apenas o passaporte, que tirei da mala deixada no acampamento e coloquei no bolso do blazer que usava. O último avião quc nos esperava no aeroporto começou a ser metralhado pelos guerrilheiros. Baiardi mais uma vez mandou que o avião que nos aguardava, com muita gente a bordo, não nos esperasse. O comandante fechou as portas e decolou de forma pouco convencional, porque as cabeceiras da pista estavam ocupadas por tropas.

Enquanto isso, tentávamos chegar ao aeroporto. No caminho fomos surpreendidos por um ataque. Deitados no chão, ouvíamos vários tiros de arma pesada. O motorista foi atingido. Tivemos de abandonar o ônibus e correr para um matagal próximo. Fomos então levados para um quartel militar, onde conseguimos entrar ilesos. Lá dentro havia uma fila de angolanos, homens e mulheres de várias idades, inclusive adolescentes, que recebiam armas e instruções para resistir aos ataques da guerrilha. Naquele terrível fim de semana, cerca de 1.200 pessoas morreram em Luanda.

Os oficiais militares nos conduziram ao gabinete do comandante, uma sala de paredes nuas, com uma janela que nos permitia ver o muro externo do quartel. Ficamos ali durante 24 horas. Não tínhamos o que comer ou beber, nem conseguíamos dormir.

No livro em que narra esse episódio em detalhes, batizado com o sugestivo título *25 anos em 24 horas*, Renato Baiardi escreveu:

> Senti-me encurralado entre o drama da guerra e a possibilidade de alcançar um avião que me tirasse de lá, atravessando uma espécie de noite que nunca terminava, quando o tiroteio e o céu iluminado pelas fagulhas direcionaram meu pensamento para um passado longínquo.

Guerrilheiros tentavam invadir o quartel. De um lado e do outro, vários morriam em combate. Várias vezes imaginei que jamais sairia dali com vida. O medo foi intenso. Baiardi me tranqüilizava. Em virtude da falta de água, comecei a urinar sangue. Pensei, apavorado: “Se não morrer por causa de um tiro, talvez não escape a essa crise renal.”

Na segunda-feira, finalmente vislumbramos a possibilidade de fuga. A Odebrecht organizou um plano para nos resgatar. Delmar Siqueira, colega que vivia em Luanda, mostrou toda a sua capacidade de coordenação logística e grande dose de criatividade e agilidade. Acompanhados por uma escolta militar formada por seis caminhões blindados, seguimos até o aeroporto onde um bimotor nos aguardava na pista. Quando estávamos prestes a embarcar, o tiroteio recomeçou. Entramos correndo no avião e o piloto decolou. Ao atingir a altitude de 7.500 pés, ele finalmente anunciou: "Agora estamos a salvo dos tiros. Mas apertem os cintos porque vamos atravessar uma zona de forte tempestade com raios e trovoadas..." Pousamos no Congo e dali fomos para a Namíbia, de onde voltamos para o Brasil num DC-10 da Vasp.

Enquanto regressávamos, comecei a sonhar com algo que pudesse fazer para acabar com aquele conflito armado. Uma coisa é receber notícias de guerra pelos jornais e TV, outra bem diferente é testemunhar o confronto, viver na pele a situação. Presenciei uma guerra tribal encoberta por dois partidos políticos. Estava em estado de choque e precisaria de ajuda terapêutica para me recuperar!

Munido de determinação, comecei a maquinar aquele que viria a se tornar um dos projetos mais ousados e difíceis da minha vida. Quando Baiardi, sempre bem informado e intuitivo, disse-me, mais de um ano depois, que a ONU finalmente pretendia organizar uma concorrência internacional para prestação de serviços de apoio logístico à Força de Paz para Angola, começamos a articular nossa participação nesse esforço. Nascia um sonho em minha alma, simbolizado por uma imagem muito forte: o capacete branco da Odebrecht lado a lado com o capacete azul da ONU no esforço pela paz em Angola!

Fui autorizado a negociar um consórcio com uma empresa norte-americana com experiência militar, para somar sinergia ao nosso conhecimento da cultura angolana e do idioma português. E ganhamos a concorrência pública internacional. Pela primeira vez uma empresa de um país que não era membro do Conselho de Segurança da ONU foi escolhida para prestar serviço às Nações Unidas. O consórcio era incumbido de oferecer apoio logístico à força de paz composta de 7 mil soldados da ONU. Nossa equipe, composta por cerca de 1.200 angolanos e quase 300 pessoas originárias de 29 países, era encarregada de providenciar roupas, abrigo, transporte, alimentação, remédios, equipamentos, sistemas de comunicação e tudo o que fosse necessário para a força de paz cumprir sua missão.

Os espíritos construtivos de Baiardi, Otacílio e Emílio Odebrecht deram apoio incondicional para a conquista desse contrato e a participação nesse esforço pela paz. Apesar dessa atividade não fazer parte do negócio principal da empresa de engenharia e construção, estávamos todos comprometidos em dar nossa contribuição. Contamos com o apoio do governo brasileiro e do governo angolano e participamos daquele importante passo para a paz, assinada alguns anos depois.

A marcante experiência que vivi em Angola ilustra várias características comuns aos realizadores de sonhos, pessoas de carne e osso que expressam suas visões e valores, montam parcerias, superam obstáculos, valorizam as relações interpessoais, encontram oportunidades para transformar a si mesmas e aos outros, aprendem com os erros, confiam na intuição e compartilham o desejo de fazer do mundo um lugar melhor.

As principais atitudes dos realizadores de sonhos são apresentadas a seguir, ilustradas por histórias de pessoas que sonharam, acreditaram e construíram seu futuro com base nessas atitudes — assim como você, eu, cada um de nós também pode fazer!

Determinação e perseverança

Obstinação, tenacidade, perseverança, decisão, persistência, garra ou apenas teimosia, como prefere dizer o empresário Abraham Kasinsky. Todas essas palavras fazem parte da biografia dos realizadores de sonhos. Assertivos, perseguem seus objetivos sem desistir diante das dificuldades. Mas perseverar não significa insistir no erro, caso tenha uma estratégia equivocada para seu sonho. Em alguns momentos, é melhor mudar de tática.

O próprio Kasinsky, empresário muito bem-sucedido, em vez de se aposentar aos 82 anos, decidiu iniciar um negócio. O pioneirismo já fazia parte de sua história. Nos anos 1950, montou a primeira fábrica de autopeças do Brasil. Percebeu que aquela indústria ia crescer e precisar de matéria-prima nacional. Um dia apareceu no portão de sua casa um político. Tratava-se de ninguém menos que Juscelino Kubitschek, que queria ser presidente do Brasil. Kasinsky resolveu apoiá-lo. "Era um sonhador como eu", relembra. Juscelino foi eleito e impulsionou a indústria automobilística. Kasinsky fez da Cofap a maior empresa brasileira do setor de autopeças.

Em 1997, cansado das desavenças familiares devido a sua sucessão, vendeu suas ações. Mas não conseguiu ficar parado muito tempo. Comprou uma fábrica na Zona Franca de Manaus e começou a produzir motocicletas. Hoje, a moderna e robotizada Motos Kasinski também faz triciclos e se prepara para lançar um carro popular genuinamente nacional, o sonho atual desse filho de imigrantes russos que parece estar sempre à frente do seu tempo.

Não foi à toa que o publicitário Washington Olivetto, da W/Brasil, escolheu ele próprio para ser o garoto-propaganda dos produtos Kasinski. No filme, esse octogenário aparece fazendo acrobacias sobre uma moto, enquanto o narrador diz: "Kasinsky está sempre na frente." Apontado pela revista *Dinheiro* como "o empreendedor do ano em 2002", ele atribui seu sucesso a muito trabalho, teimosia e vários sonhos. "Tudo na minha vida começou com um sonho", contou em entrevista ao jornalista João Dória

Júnior, exibida no programa *Show Business*, de 26 de janeiro de 2003.

Determinação, dinamismo, obstinação, capacidade de trabalho e talento gerencial típicos de um alto executivo também não faltaram a uma jovem freira baiana de aparência frágil. Essa realizadora de sonhos surpreendeu a todos às vésperas da Segunda Guerra Mundial. Maria Rita de Souza Brito Lopes Pontes, nascida em maio de 1914, abraçou a vida religiosa aos 20 anos e tornou-se a Irmã Dulce. Em vez de apenas rezar no convento, pediu autorização à Madre Superiora para abrigar no antigo galinheiro anexo ao convento os doentes recolhidos das ruas de Salvador. Do galinheiro fez um hospital. E do hospital iniciou uma das maiores obras sociais deste país.

Ela resolveu erguer uma casa para seu trabalho social no Largo de Roma. A construção, a preço de custo, ficaria a cargo do amigo e incentivador Norberto Odebrecht. Mas era preciso obter recursos para a obra. Irmã Dulce não titubeou. Conseguiu uma audiência com o presidente da República, Eurico Gaspar Dutra, um homem de horários insólitos e métodos administrativos peculiares. A audiência foi marcada para as 5 horas da manhã, no Palácio do Catete, no Rio de Janeiro. No horário, lá estava ela, com toda a documentação organizada pelo seu amigo. Obteve uma doação de 6 milhões de cruzeiros da época.

Esse foi o ponto de partida para a formação do Complexo Assistencial do Largo de Roma. Mesmo após a morte de

Irmã Dulce, em 1992, suas obras assistenciais seguem de vento em popa, sob o comando da sobrinha que herdou seu nome, Maria Rita Pontes. São vários núcleos de atendimento com modernas instalações, mais de mil leitos, quase 2 mil funcionários, mais de 400 médicos, 300 residentes e 300 voluntários. Todos os dias são atendidas mais de 4 mil pessoas gratuitamente.

O antigo Cine Roma, onde ela construiu o Círculo Operário, em 1948, está se transformando na Igreja da Imaculada Conceição da Mãe de Deus, um santuário para perpetuar a memória de Irmã Dulce. Seu processo de beatificação foi encaminhado à Santa Sé pelo frei italiano Paolo Lomardo.

Criatividade e inovação

Os realizadores de sonhos inventam novas soluções para velhos problemas em vez de ficar repetindo as saídas que deram certo no passado. Não se acomodam diante dos obstáculos, nem de derrotas passageiras. Transformam eventuais quedas em passos de dança. São criativos na hora de sonhar e na gestão da travessia. Acreditam que uma idéia ou um produto inovador requer um contexto que fomente a originalidade, portanto estimulam esse atributo também entre os seus subordinados.

Criatividade não falta a José Alberto Almeida de Carvalho, um quarentão que junto com dois irmãos fundou a

"Equipe Ninja", um serviço de táxi em Salvador cujos diferenciais são rapidez, prontidão e atendimento personalizado 24 horas. Junte-se a isso pitadas de paixão, prazer em superar expectativas, disposição para contar uma boa história e extrema confiabilidade, e é possível entender por que a equipe conquistou clientes como o Citibank, o McDonald's, a Federação das Indústrias da Bahia e o Praia do Forte EcoResort. Tornei-me cliente desses inusitados motoristas quando vou para Salvador.

"Comecei a investir nos usuários dos nossos serviços fazendo um cadastro de clientes personalizados e mandando lembranças na Páscoa, no aniversário e no Natal", conta Alberto, sergipano de São Simão, que aos 14 anos estudava e trabalhava como ajudante de confeitaria no Hotel Méridien. Em 1985, com a morte do cunhado taxista, herdou um fusca cheio de prestações para pagar. À noite, trabalhava em hotel; de dia, como taxista. Juntando economias, comprou mais um carro, conseguiu financiamento para um terceiro e assim nasceu a "Equipe Ninja".

Realizadores de sonhos favorecem o clima de inovação ao seu redor. É o que acontece, por exemplo, na Brasilata, a terceira maior fabricante de latas metálicas do país, situada em Rio Verde, Goiás. Há três anos um operário da fábrica conquistou a medalha de prata no *Can of the Year*, um importante prêmio do setor de embalagens metálicas, ao apresentar a idéia de fazer frisos numa lata quadrada de nove litros. A lata ficou mais resistente com uma chapa de metal mais fina, que reduziu os custos de forma significativa. A Brasilata já conquistou 29 novas patentes. "Nossos 900 funcionários são todos inventores", gosta de enfatizar Antonio Carlos Teixeira, dirigente da Brasilata.

Não-acomodação

Eternos insatisfeitos, realizadores de sonhos estão sempre buscando mais, como se fosse um vício. Vibram com as conquistas, mas não se acomodam. Têm um apetite insaciável por informações novas e por diferentes perspectivas. Olham para as pessoas e situações procurando aperfeiçoar seus conhecimentos. Tiram lições dos erros e acertos. Os tombos não os intimidam e o sucesso não os acomoda. Não conhecem o que se convencionou chamar de *zona de conforto.* Lembra-se da "insatisfatina", aquela enzima sugerida pelo Edson Godoy, em tom de brincadeira? Os realizadores de sonhos não saem de casa sem ela...

O arquiteto paulistano João Armentano, hoje famoso, teve de transformar várias quedas em passos de dança até conseguir se estabilizar na profissão. Estava na faculdade quando o pai de um amigo ofereceu uma casa para montar um escritório. Como eram inexperientes, chamaram outro amigo, muito bem relacionado, para atrair clientes. E mais um outro, mestre em desenho técnico. "Para mim, a sociedade parecia perfeita. Mas só para mim. Na cabeça dos outros havia alguém sobrando, e esse alguém era eu", contou em depoimento a um jornalista.

Recém-formado, sem dinheiro, quase pensou em desistir. O pai o animou a chutar essa pedra para frente e continuar. Montou um escritório com um amigo, mas precisaram fechá-lo em menos de um ano. Foram trabalhar na casa do amigo e ligavam para os clientes do orelhão. Até que conseguiram alugar uma casinha. Com o crescimento do escritório, foram para uma casa maior, num bairro melhor. Havia tanto serviço que resolveram desfazer a sociedade.

Quando tudo parecia bem, tiveram as economias seqüestradas, como a de todos os brasileiros, numa canetada daquele presidente e daquela ministra da economia que deixaram atrás de si um rastro de frustração e ressentimento. João Armentano retomou a sociedade com o amigo e aos poucos ambos foram reerguendo os dois escritórios. Afirma o arquiteto:

> Acredito em luta para conquistar ideais. Não sou de família rica e precisei trabalhar muito para conquistar tudo o que consegui, mas sempre tive claro em minha cabeça que é importante cultivar objetivos na vida. Se não possuir nada, tenha pelos menos clareza para saber aonde você pretende chegar. A partir daí, fica mais fácil traçar seu caminho.

Coragem e ousadia

Realizadores de sonho têm uma mistura desses dois ingredientes. Não têm medo de correr riscos. Não aceitam o *não*. Fazem o que antes parecia impossível.

Leila Diniz, símbolo da revolução feminina nos anos 1960, reflete muito bem esse sonho de liberdade, de ser feliz, de não se deixar aprisionar por tabus. Escandalizou a sociedade brasileira numa época em que a repressão dominava o país, ao exibir sem pudor — característica dos hipócritas — sua gravidez num biquíni.

Jovem e bonita, Leila Diniz era uma mulher de atitude. Falava sobre a vida pessoal sem constrangimentos. Chocou o país inteiro ao proferir em entrevistas opiniões que desestabilizavam os códigos sociais da época. Atriz de 14 filmes, 12 telenovelas e muitas peças teatrais, foi invejada e criticada. Morreu precocemente aos 27 anos num desastre de avião no aeroporto de Orly, nos arredores de Paris. Grande perda para a geração que borbulhava nos anos 1970!

Foco, foco, foco

Apesar do seu dinamismo, de tocarem vários projetos ao mesmo tempo, os realizadores de sonhos não perdem o foco, não desperdiçam tempo e energia com tarefas que não fazem parte do seu sonho.

Em 2008, a jornalista Fátima Bernardes, em entrevista à imprensa, disse:

> É preciso ter equilíbrio e percepção para saber onde você precisa se doar mais em determinado dia, se é no trabalho ou em casa, com o marido e os filhos. Você tem de estar sempre atenta 24 horas por dia.

Ela é apresentadora do telejornal mais assistido do país ao lado do marido, o jornalista William Bonner, com o qual está casada há 19 anos, e mãe dos trigêmeos, Laura, Beatriz e Vinícius. É considerada um símbolo da mulher moderna e bem-sucedida, capaz de conciliar a profissão, a vida familiar e os cuidados com a saúde.

Disciplina com os detalhes

Em vez de deixar tudo por conta do famoso "jeitinho", os realizadores planejam e costumam antecipar cada detalhe de suas ações. É o mesmo que acontece com os pênaltis num jogo de futebol. Tem mais chances de convertê-los em gol quem treinou, está preparado e administra as oportunidades.

O navegador Amyr Klink tirou os sonhos da cabeça, colocou no papel e os transformou em realidade, cruzando o Atlântico em um minúsculo barco a remo. Passou um ano isolado na Antártida. Deu a volta ao mundo mais curta e mais difícil, muitas vezes tentada, mas nunca antes conseguida, circunavegando o continente gelado.

"O planejamento amplia as chances de dar certo à medida que minimiza as chances de dar errado", afirma na entrevista registrada no livro *Gestão de sonhos*, de Sérgio Almeida.

> O planejamento é como um patamar de referência, serve para ordenar as ações. Pode inibir a criatividade, entretanto não é possível estimular a criatividade sem uma direção.

Amyr ressalta que a origem dos problemas do projeto quase sempre está nos detalhes aparentemente insignificantes, não nos grandes acontecimentos. Certa ocasião, ao testar os kits de alimentos projetados por sua nutricionista, Amyr encontrou um pacotinho em que só havia três ameixas secas. Havia pedido um punhado delas. Ao questionar a nutricionista, ela o perguntou se sabia o peso de uma ameixa seca.

> Eu não fazia a menor idéia de que pesava 10 gramas. Eram 98 mil saquinhos para as 169 semanas de viagem. Se colocasse uma ameixa a mais em cada um, a ameixinha extra afundaria o meu barco.

Desenvolver parcerias

Os realizadores de sonhos sabem motivar pessoas. Conseguem resultados por meio da força dos outros à medida que os ajudam a realizar os próprios sonhos. Estabelecem relações de troca. "Meu sonho foi ter um projeto de empresa onde não apenas eu, mas os homens e as mulheres que comigo trabalham pudessem realizar seu projeto de vida", afirma Firmin António, presidente e fundador do Grupo Accor no Brasil. Ele investiu para que sua empresa se configurasse como um ótimo lugar para trabalhar, o melhor serviço para o cliente e o melhor investimento para o acionista.

Firmin chegou ao país, vindo de Portugal, sua terra natal, em março de 1976, ciente das condições excepcionais de desenvolvimento que havia por aqui, ao lado dos enormes desafios. Sonhou criar uma organização de sucesso que fosse útil para o Brasil. A Accor se tornou um dos maiores grupos de serviços do país, movimentando um alto volume de negócios, e gerou 27 mil empregos.

Desenvolveu produtos inovadores que melhoraram a qualidade de vida do trabalhador e a produtividade das empresas. Mas Firmin não pretende parar por aqui: "Tenho muitos sonhos ainda a realizar", afirma enigmaticamente no momento em que se posiciona para alçar novos vôos na sua vida profissional.

Em vez de esperar as condições favoráveis à realização de suas aspirações, os realizadores partem em direção aos seus projetos e buscam os recursos e os meios necessários por meio de parcerias. José Roberto Caldas Pinto, o Zé Pescador, todo dia acordava cedo para trabalhar na Ilha de Itaparica, na Bahia. Depois de passar boa parte do dia no mar, ficava bebendo com os amigos. Um dia, Janaína, sua filha, que tinha na época 8 anos, repreendeu o pai por estar capturando lagostas na fase de reprodução: "Papai, você não tá deixando os filhinhos de lagosta nascerem?" As palavras da menina e seu olhar de decepção tocaram fundo o pai.

Zé Pescador decidiu mudar de vida. Fundou a Pró-Mar, primeira organização não governamental com o objetivo de deter a degradação ambiental e social da ilha. Segundo o ex-pescador e atual empreendedor social: "A ONG é um sonho compartilhado, desses em que a torcida é forte mesmo. Um sonho legitimado na Ilha de Itaparica, que envolve as pessoas e as motiva a sonhar juntas".

A entidade começou pequena, fazendo um trabalho de limpeza das praias, dando cursos para estudantes de escolas públicas da localidade, ensinando os pescadores e seus filhos a preservarem o ambiente. Agora, desenvolve um trabalho voltado para organizar roteiros turísticos e mergulhos ecológicos, com os quais pretende divulgar a riqueza da fauna e da flora do fundo do mar. Craque na arte de cultivar parcerias, Zé Pescador aplicou este talento com a finalidade de fazer sua Pró-Mar decolar: soube se associar aos Governos Estadual e Municipal, a empresas como a Petrobras e ONGs como a Fundação Avina.

Estar preparado para ter sorte

Uma pessoa pode fazer tudo certo e ainda assim seu sonho dar errado. É preciso estar preparado, no lugar certo e na hora certa. Um amigo meu, pessoa simples, que mora no interior, disse uma vez que sorte é você estar pronto para montar um cavalo encilhado na hora que ele passa na sua frente. É preciso estar alerta para ver a porta que se abre, e preparado para não deixar a oportunidade passar. Já outro amigo, cosmopolita, cidadão do mundo, costuma dizer: "Quanto mais eu trabalho, mais sorte tenho!" Partindo de pontos de vista bem diferentes, ambos comungam da mesma opinião sobre o que significa ter sorte. Adiciono mais uma, de origem popular: sorte é quando a oportunidade bate à sua porta e você atende...

Há pessoas que sabem cavar a sorte, fazer a conexão certa. Para Richard Wiseman, professor de Psicologia da Universidade de Hertfordshire, no Reino Unido, a sorte não é um atributo mágico, um dom exclusivo de felizardos. No livro *O fator sorte*, lançado no começo de 2003, Wiseman sustenta que as pessoas sortudas apresentam quatro atitudes básicas:

- Criam oportunidades para que coisas boas aconteçam, maximizando suas relações e iniciativas, abrindo-se a novas experiências e adotando uma postura relaxada com relação à vida;

- Tendem a tomar decisões seguindo sua intuição;
- Acreditam que de fato terão boa sorte e insistem em seus objetivos;
- Geralmente lidam bem com adversidades, transformam notícias ruins em estímulos para novas ações e atitudes, adotam uma postura mais otimista que pessimista.

Inspirar pelos valores

Os valores são muito mais abrangentes que os sonhos. Podem até condicioná-los, pois de certa forma os precedem. Revelam a profundidade dos sonhos, a essência na vida de cada um. Expõem atitudes, posturas, a razão de ser de uma decisão, uma escolha profissional, um negócio. Alguns valores são universais, como o direito à vida, à liberdade, o respeito ao próximo. Em tais casos, não há o que discutir. A mobilização é imediata. O grande perigo é quando os valores são utilizados para manipular desejos e ações, principalmente no terreno político.

No mundo empresarial existem alguns exemplos bem-sucedidos de mobilização por valores nobres. É o caso da Natura. Criar e comercializar produtos e serviços que promovam o "bem estar bem" é a razão de ser dessa empresa nacional, que mobilizou seus colaboradores, consultoras, fornecedores e sociedade como um todo em torno desse conceito.

Ainda adolescente, o sócio-fundador da Natura, Luiz Seabra, observava ao redor a preocupação com a aparência e passou a nutrir o desejo de criar produtos que permitissem uma melhor relação das pessoas consigo próprias, promovendo seu bem-estar.

Trabalhou numa empresa de tecnologia e "por coincidência" foi parar na divisão de barbeadores elétricos. Só que, em vez de se ater àquela novidade tecnológica na época, pensava na pele do rosto, na barba, nos cabelos dos usuários daquelas "máquinas". Depois, foi trabalhar num laboratório de cosméticos dirigido por um francês.

Aos 27 anos, estava ansioso por criar uma empresa em outras bases, um negócio vinculado a uma bandeira: libertar as pessoas dos estereótipos e padrões de beleza que as aprisionavam. É ele quem conta:

> Eu não aceitava o cosmético como um instrumento de alienação, de aprisionamento, mas como um veículo para criar o bem-estar, aumentar a auto-estima, libertar as pessoas e estreitar a relação entre corpo, espírito e mente.

Apesar dos preconceitos da época — o senso comum de que cosmético deveria ser coisa do universo feminino —, a Natura decolou seguindo uma trajetória pouco convencional. E conseguiu fazer a síntese de coisas aparentemente inconciliáveis, o que lhe permitiu dar vários saltos qualitativos que moldaram a empresa como uma vencedora num mercado bastante disputado.

Um deles foi quando Seabra se deu conta de que aquela atividade aparentemente relacionada ao supérfluo — tratamento, beleza, estética — o levaria a conhecer melhor o outro e levaria os outros a se conhecerem mais profundamente. "Os cosméticos fazem as pessoas tocar no próprio corpo, aumentam o nível de reflexão sobre o seu ser", explica ele. Ou seja, a Natura não vende apenas um produto, vende também o intangível, um conceito, um veículo de autoconhecimento. Vende, ao mesmo tempo, o produto e o "não-produto".

Outro salto qualitativo aconteceu quando a Natura começou a crescer. Até então Seabra dava consultas individuais e realizava palestras. Como conciliar aquele sistema quase "artesanal" com a distribuição em larga escala para atender um grande número de clientes? A saída foi multiplicar profissionais capacitadas para consultas em vez de simplesmente aumentar o número de lojas. No final da década de 1980, com o ingresso de Guilherme Leal no "Sistema Natura" e, posteriormente, com a participação de Pedro Luis Passos —, a empresa consolidou o alicerce para o grande crescimento que vem caracterizando sua trajetória. Hoje, a Natura conta com um verdadeiro "exército" de mais de 600 mil consultoras espalhadas em quase todos os cantos do país.

A linha Natura Ekos, criada em 1999, foi inspirada na crença de que "a vida se manifesta através da diversidade".

Foi uma sacada inacreditável! Uma inversão das práticas usuais em administração. Em vez de o negócio ter valores, os valores também podem gerar oportunidades de negócio! Talvez por isso o compromisso com os valores tenha virado o diferencial da Natura, que sedimentou sua imagem associada à inovação e qualidade.

A Natura é hoje o resultado do sonho de muitos. Uma paixão coletiva. Como sabiamente afirmou Seabra numa conversa inspiradora que tivemos em seu escritório: "a trama da vida é muito mais fascinante e complexa do que podemos imaginar ou do que projetos individuais podem transmitir."

Paixão

A tecnologia muda diariamente, mas a chave do sucesso continua sendo a velha paixão. O realizador de sonhos se apaixona por suas missões e tarefas. Trabalha com emoção e excitação. Busca na paixão a força para realizar seus sonhos; não os trata burocraticamente.

"O negócio só vai para a frente quando você usa a alma", ensina o empreendedor Carlos Dias, da fábrica de pijama Fitswell, em Guarulhos, São Paulo. Ex-funcionário de um banco, demitido num grande corte de pessoal, foi vender bijuterias como camelô. Um dia, passou a fiscalização e apreendeu toda a mercadoria. Em vez de ficar se lamentando, ele comprou oito metros de tecido para a mãe, que é costureira, fazer cuecas samba-canção, as primeiras peças de sua confecção. Além dele e da mãe, havia só um funcionário, o irmão, e duas máquinas de costura na garagem de sua casa. Hoje, Dias comanda uma empresa com 150 funcionários.

✱ Realizadores de sonhos explicitam seu propósito, seu rumo e contagiam as pessoas. Conseguem o melhor dos outros porque dão o melhor de si. Apaixonam os demais porque são apaixonados pelo que fazem.

Diminuir a exclusão digital da maioria dos brasileiros foi a grande causa abraçada e disseminada por Rodrigo Baggio, um consultor de Informática que nas horas vagas criou uma escola no Morro Santa Marta, no Rio de Janeiro. Deu tão certo que abriu mais duas e foi se multiplicando. Hoje, ele se dedica exclusivamente à rede que virou a maior e mais bem-sucedida ONG de inclusão digital do mundo. O CDI atua em 35 cidades brasileiras e em países da América Latina, como o Chile, o Uruguai e o México, além do Japão e da África do Sul. Desde 1995, já passaram por suas 470 escolas mais de 200 mil alunos, só no Brasil. Com metodologia própria de ensino, desenvolvida com recursos doados pelo BNDES, e professores voluntários, o CDI instala as escolas, dá o empurrão inicial e depois elas viram auto-sustentáveis. A iniciativa de Baggio foi premiada pela ONU.

Ao conversar com realizadores de sonhos com grande grau de sucesso e com algumas pessoas que se frustraram porque não conseguiram decolar os seus, foi ficando claro que os problemas dos sonhos não realizados não estavam apenas nos sonhos em si, mas no modo de agir dessas pessoas. Aprendi que as atitudes cruciais para transformar sonhos em realidade são as 10 que enumerei:

Determinação e perseverança

Criatividade e inovação

Não-acomodação

Coragem e ousadia

Foco, foco, foco

Disciplina com os detalhes

Desenvolver parcerias

Estar preparado para ter sorte

Inspirar pelos valores

Paixão

Mas acrescentaria à lista uma décima primeira: *Não paute sua vida pelo dinheiro!*

Agora que você conhece as principais atitudes comuns aos realizadores de sonhos, chegou a hora de refletir sobre o seu perfil. Das atitudes até aqui listadas, quais você já possui? Que tal fazer o seu mapa de atitudes?

1. Identifique 3 atitudes que você precisa ADQUIRIR.

1)...

....

2)...

....

3)...

....

2. Liste 3 atitudes que você deve CONSOLIDAR.

1)...

....

2)...

....

3)...

....

3. Liste 3 atitudes que você precisa ELIMINAR.

1)...

....

2)...

....

3)...

....

7

VOCÊ É DO TAMANHO DOS SEUS SONHOS

Não me interessa saber como
você ganha a vida.
Quero saber o que mais deseja
e se ousa sonhar em satisfazer os
anseios de seu coração.
Não me interessa saber sua idade.
Quero saber se você correria
o risco de parecer tolo por amor,
pelo seu sonho, pela aventura
de estar vivo (...)

O *convite*, Oriah Mountain Dreamer

Em minha trajetória, alguns sonhos deram muito certo. Outros, nem tanto. Sempre achei melhor, então, viver vários sonhos para aproveitar ao máximo a grande oportunidade de lutar, realizar, acertar, errar e até mesmo começar tudo de novo.

Mas na realidade não importa muito quantos sonhos você tem; nem se são grandes ou pequenos. O importante é que eles tragam a você a possibilidade de inventar seu futuro.

Tampouco importa em que fase esteja sua vida, pois os sonhos não têm idade, nem envelhecem nunca. O importante é que você, se anda absorvido pela roda-viva e perdeu o hábito de sonhar para enfrentar a dura realidade diária, desengavete seus sonhos e os transforme em projetos.

Não importa se seus sonhos viraram pesadelos; o importante é que você se prepare para dar uma virada e fazer uma grande mudança, inaugurando uma nova fase na sua vida.

O que importa é que você volte a acreditar nos seus sonhos e lutar por eles. E assuma o comando da sua vida.

Acorde para sonhar!

O que importa é que você, mais cedo ou mais tarde...

...trace o seu mapa de sonhos, evitando ter apenas um único sonho.

...equilibre os seus sonhos nas diferentes esferas da vida.

...identifique e remova os obstáculos, as pedras no caminho.

...localize e fortaleça os estímulos, construindo pontes para os seus sonhos.

...transforme seus sonhos em projetos.

...transfira seus sonhos da cabeça para o papel.

...parta para a ação, dando vida ao que está no papel.

...previna-se contra as armadilhas do sucesso.

...celebre sempre, mesmo as pequenas vitórias.

...identifique as atitudes que você precisa adquirir, consolidar e eliminar.

...identifique seus aliados no trabalho, em casa, entre seus amigos.

...identifique também os que jogam contra seus sonhos e previna-se.

...sonhe junto com outras pessoas, em vez de sonhar sozinho.

...incentive os outros a sonhar. Não seja castrador dos sonhos alheios.

...escolha uma imagem, um ícone que simbolize o seu sonho.

...coloque a cabeça nas nuvens, mas mantenha os pés no chão.

...mantenha o foco, foco e foco.

...faça de uma eventual queda um passo de dança. Não desista nunca!

...saiba que a fita métrica dos sonhos está dentro de cada um.

...viva seus sonhos intensamente. Você é o seu sonho!

...escreva uma nova história para sua vida.

O que importa é que você, mais cedo ou mais tarde, entenda que...

...o sonho é a primeira etapa da estratégia.

...sonhar é inventar o futuro, não apenas tentar adivinhá-lo.

...quem não luta pelos seus sonhos vira coadjuvante dos sonhos dos outros.

...é melhor viver pelos seus sonhos do que morrer por eles.

Quanto à sorte, entenda que você a faz acontecer. Esteja preparado...

...você é do tamanho dos seus sonhos!

CAPÍTULO DO LEITOR

AGORA, O AUTOR É VOCÊ

Amanhã
Será um lindo dia
Da mais louca alegria...

Amanhã, Guilherme Arantes

Até aqui você ouviu relatos de muita gente. Agora, leitor, é a sua vez. Chegou a hora do seu depoimento. Dê continuidade a este livro.

Escreva o próximo capítulo, apresentando seus sonhos e como planeja realizá-los no futuro próximo.

Aceite meu convite, assuma este novo papel. Nas próximas páginas *o autor é você!*

Se o leitor desejar, pode enviar o que escreveu neste capítulo para o autor.
Faça-o pelo site www.tamanhodosseussonhos.com.br

AGRADECIMENTOS

Agradeço a todos que se tornaram cúmplices, ao longo da minha vida, na arte de sonhar com os olhos abertos.

Mas preciso poupar você, leitor, de uma lista que poderia ser interminável — e que ainda assim cometeria injustiças por omissões inevitáveis. Essas pessoas sabem o que significam para mim e tenho certeza de que entendem as razões pelas quais decidi não nomear nenhuma delas.

Aos inúmeros clientes de consultoria que me deram a oportunidade de entender melhor o funcionamento de suas organizações e como os sonhos são ora estimulados, ora reprimidos no cotidiano empresarial.

Aos consultores organizacionais independentes e palestrantes, que se tornaram amigos e têm enriquecido minha experiência com comentários, carinho, sugestões. Aprendo diariamente com vocês.

Aos dirigentes das empresas que me convidam para proferir palestras, e assim permitem que eu conheça não só a geografia mas também a essência do Brasil que sonha com os pés no chão e as mãos na massa.

Aos colegas e sócios da Empreenda, que têm me dado "régua e compasso" para a labuta diária, tanto para agregar valor aos sonhos de nossos clientes, quanto para ajudá-los a enfrentar seus pesadelos.

Aos colaboradores da Editora Agir, em especial a Helena Carone e a Lula Vieira, pelo incentivo, apoio e profissionalismo.

A todos aqueles cujos exemplos estão relatados nas páginas deste livro, devo um agradecimento muito especial. A inserção de citações desses personagens reais procura demonstrar, através de exemplos concretos, a prática dos princípios apresentados aqui. Suas histórias e os diálogos que os envolvem foram construídos a partir de diversas fontes: conversas com o autor, e-mails, observações em eventos, palestras, relatos de terceiros, livros, sites, documentários e matérias publicadas na imprensa. Sou grato por terem compartilhado comigo seus sonhos, pelo tempo que me dedicaram, mas principalmente pela confiança que depositaram no projeto deste livro. Confesso que vivi momentos inesquecíveis que ficarão bem guardados na minha memória afetiva.

BIBLIOGRAFIA

ALMEIDA, Sérgio. *Gestão de sonhos – riscos e oportunidades*. Salvador: Casa da Qualidade Editora, 2000.

BAIARDI, Renato. *25 anos em 24 horas*. São Paulo: AP Editora, 1997.

BENI, Rosana e SZAFIR, Luciano. *Quando os sonhos se tornam realidade*. São Paulo: Editora Gente, 2001.

BOJUNGA, Cláudio. *JK: O artista do impossível*. Rio de Janeiro: Editora Objetiva, 2001.

CAVALCANTI, Zoroastro. *Sonhos, números e significados*. São Paulo: Editora Centauro, 2000.

COELHO, Marco Antônio Tavares. *Herança de um sonho – As memórias de um comunista*. Rio de Janeiro: Editora Record, 2000.

GATTAI, Zélia. *A Casa do Rio Vermelho*. Rio de Janeiro: Editora Record, 1999.

__________. *Anarquistas, graças a Deus*. Rio de Janeiro: Editora Record, 2000.

GLADWELL, Malcolm. *Fora de série – Outliers*. Rio de Janeiro: Editora Sextante, 2008.

HOLANDA, Sergio Buarque de. *Raízes do Brasil*. São Paulo: Companhia das Letras, 1997.

HUNT, Michele. *Dreammakers – fazedores de sonhos*. Rio de Janeiro: QualityMark Editora, 2002.

JESUS, Carlinhos de. *Vem dançar comigo*. São Paulo: Editora Gente, 2005.

JUNG, Carl Gustav. *Memórias, sonhos, reflexões*. Rio de Janeiro: Nova Fronteira.

MEIRELES, Cecília. *Escolha o seu sonho*. Rio de Janeiro: Editora Record, 1998.

ODEBRECHT, Norberto. *Sobreviver, crescer e perpetuar*. Salvador: publicação institucional da construtora Norberto Odebrecht, 1984.

PIRES, Luciano. *O meu Everest – realizando um sonho no teto do mundo*. São Paulo: Geração Editorial, 2002.

RIBEIRO, Darcy. *O povo brasileiro: a formação e o sentido do Brasil*. São Paulo: Companhia das Letras, 1995.

SIGMUND, Freud. *A interpretação dos sonhos (I)*. Rio de Janeiro: Imago Editora, v. IV.

SILVA, Ozires. *A decolagem de um sonho – A história da criação da Embraer*. São Paulo: Lemos Editorial, 2005.

WISEMAN, Richard. *O fator sorte – mude sua sorte, mude sua vida*. Rio de Janeiro: Editora Record, 2003.

Outras fontes:

Central do Brasil. Direção: Walter Salles, 1998.

Fitzcarraldo. Direção: Werner Herzog, 1982.

Livro "Nosso Edson: biografia não autorizada de um realizador brasileiro, idealizado por seus colaboradores", publicada pela Amil em 1997.

Revista *Isto é dinheiro.* Edição 17/12/2002, número 277, página 166.

Revista *Você S/A.* Edição de outubro de 2002, matéria de capa, complementada na edição de dezembro de 2002.

Sites selecionados:

Comitê para Democratização da Informática (CDI)
www.cdi.org.br

Serviço Brasileiro de Apoio às Micro e Pequenas Empresas (Sebrae)
www.sebrae.com.br

Instituto Ayrton Senna
www.senna.globo.com

Instituto Tecnológico de Aeronáutica (ITA)
www.ita.br

Embraer
www.embraer.com.br

Elisa Lucinda (Escola Lucinda de Poesia Viva)
www.escolalucinda.com.br

Organização Sócio-Ambientalista Pró-mar
www.promar.org.br

Este livro foi composto em Century 751 BT, corpo 11/19,1.
Impresso pela Ediouro Gráfica sobre papel Pólen bold 90g
para a Agir em 2009.